OS MALAQUIAS

ANDRÉA DEL FUEGO

# Os Malaquias

3ª *reimpressão*

Copyright © 2010 by Andréa del Fuego
Em acordo com Literarische Agentur Mertin Inh. Nicole Witt e. K.,
Frankfurt am Main, Germany

*Grafia atualizada segundo o Acordo Ortográfico da Língua Portuguesa de 1990, que entrou em vigor no Brasil em 2009.*

*Capa*
Elisa von Randow

*Foto de capa*
© David Seymour/ Magnum Photos/ Fotoarena

*Preparação*
Cristina Yamazaki

*Revisão*
Erika Nogueira Vieira
Eduardo Santos

*Os personagens e as situações desta obra são reais apenas no universo da ficção; não se referem a pessoas e fatos concretos, e não emitem opinião sobre eles.*

Dados Internacionais de Catalogação na Publicação (CIP)
(Câmara Brasileira do Livro, SP, Brasil)

Fuego, Andréa del
  Os Malaquias / Andréa del Fuego. — 1ª ed. — São Paulo : Companhia das Letras, 2022.

  ISBN 978-65-5921-114-2

  1. Ficção brasileira I. Título.

22-117680                                    CDD-B869.3

Índice para catálogo sistemático:
1. Ficção : Literatura brasileira        B869.3

Eliete Marques da Silva – Bibliotecária – CRB-8/9380

Todos os direitos desta edição reservados à
EDITORA SCHWARCZ S.A.
Rua Bandeira Paulista, 702, cj. 32
04532-002 — São Paulo — SP
Telefone: (11) 3707-3500
www.companhiadasletras.com.br
www.blogdacompanhia.com.br
facebook.com/companhiadasletras
instagram.com/companhiadasletras
twitter.com/cialetras

*Aos personagens desta história*

# 1.

Serra Morena é íngreme, úmida e fértil.
Aos pés dela vivem os Malaquias, janela com tamanho de porta, porta com autoridade de madeira escura.
— Corre, Adolfo!
Donana pedia ajuda ao marido, ele cravou o machado na lenha e foi acudir. A bacia brilhava no fundo da cisterna, Adolfo desceu a corda com o balde amarrado na ponta, o encaixou na bacia e foi arrastando-a de volta pela parede. A mulher não fazia mais o pesado, um ombro mais baixo que o outro, branca rosada, lábio fino. Com osso quebradiço passou a benzer espinha de criança e com reza ganhava fubá, café e leite. As crianças fizeram um círculo em torno do poço, o lençol freático refletia três pares de mãos, cada par moldurando dois brilhos e um nariz: Nico tinha olho azul, nove anos. Antônio, miúdo, seis. Júlia, barriguda, quatro.

# 2.

Todos se recolheram, a noite ia grossa, o vento afrouxava as janelas. As telhas vibravam, num mínimo gesto a tempestade nasceria dentro da casa. Os pais dormiam em um quarto. Nico, Júlia e Antônio em outro, na mesma cama, aninhados em forma de embrião.

Um gato esticou as pernas, as paredes se retesaram. A pressão do ar achatou os corpos contra o colchão, a casa inteira se acendeu e apagou, uma lâmpada no meio do vale. O trovão soou comprido até alcançar o lado oposto da serra. Debaixo da construção a terra, de carga negativa, recebeu o raio positivo de uma nuvem vertical. As cargas invisíveis se encontraram na casa dos Malaquias.

O coração do casal fazia a sístole, momento em que a aorta se fecha. Com a via contraída, a descarga não pôde atravessá-los e aterrar-se. Na passagem do raio, pai e mãe inspiraram, o músculo cardíaco recebeu o abalo sem escoamento. O clarão aqueceu o sangue em níveis solares e pôs-se a queimar toda a árvore circulatória. Um incêndio interno que fez o coração, cavalo que corre por si, terminar a corrida em Donana e Adolfo.

Nas crianças, nos três, o coração fazia a diástole, a via expressa estava aberta. O vaso dilatado não perturbou o curso da eletricidade e o raio seguiu pelo funil da aorta. Sem afetar o órgão, os três tiveram queimaduras ínfimas, imperceptíveis.

Nico acordou e não saiu da posição, tenso, esperou o dia. A chuva não impediu que a noite clareasse, o galo ficou mudo. No quarto dos pais o sol entrou pelas telhas destruídas, o casal estava enrijecido sobre a cama, mas ninguém diria que uma faísca de fogo os havia cozido por dentro. O colchão e a borda das telhas ficaram enegrecidos, Nico foi até lá e se deu conta do embate entre luz e carne. Antônio abriu os olhos, em choque. Júlia estava alerta, mas não se mexia, não levantou a pálpebra, Nico a deu por morta. Ele puxou Antônio pela mão, atravessaram a sala, seguiram pela trilha que os deixou na porteira. Os dois ficaram sentados debaixo de um arbusto.

Antônio cutucou o braço de Nico, a perturbação era fome. Nico voltou, a provisão mais acessível foi uma rapadura, que ele enfiou no bolso molhado. Ouviu barulho no quarto, era Júlia, assustada. Mal desceu da cama e Nico a alcançou, pegou-a no colo, as pernas compridas batiam no joelho dele.

Antônio roeu a rapadura, os outros se recolheram um com outro. Vacas se ergueram no fim da estrada, atrás delas um adolescente segurando um galho, água gelada pingava do chapéu, estiou. Os irmãos tremiam, lábio roxo, pés frios.

— Nico!

Timóteo era empregado de Geraldo Passos, dono da fazenda Rio Claro. Timóteo foi até a casa dos Malaquias, entrou e voltou correndo. Disse nada, montou os três no cavalo sem arreio que vinha junto à boiada e continuou o trajeto. Assim que Geraldo viu os três em escadinha, mandou a velha empregada trazer café.

— Timóteo, amanhã você leva os pequenos pro lar da irmã francesa, lá na cidade. O maior fica comigo.

Dormiram os três juntos no tapete, em espiral estreita, ao lado da cama de Timóteo. Antes de saírem do quarto, Nico botou o resto da rapadura no bolso da irmã.

— Não chora, vou buscar vocês.

A pequena enxugou o rosto com a barra do vestido e a rapadura caiu. Antônio a pegou do chão e guardou no bolso dele, censurando a irmã. Timóteo levou Antônio e Júlia a cavalo. Seis horas de viagem até a pequena cidade.

— De onde são? — veio a irmã Marie.

— Os pais foram esturricados, caiu trovão na casa. O mais velho ficou na fazenda, seu Geraldo pegou o menino pra ele.

Marie levou os dois para um pátio, esperariam ali até que se ajeitasse uma cama em um dos quartos.

# 3.

— Deixa ver tua boca.

Nico abriu e revelou uma amígdala inflamada.

— Tizica, pega um mato pra chá que ele tá com dor de garganta. Amanhã ele começa no café — ordenou Geraldo.

Tizica cuidava da casa e tirava o que podia de uma espiga de milho: angu, fogo, papel de tabaco, óleo, curau. Tratou de Nico com uma erva qualquer, fingiu dar a ele o unguento certo. Deixou que a garganta inflamasse até um limite possível, assim ele não trabalharia debaixo de sol. Tizica levava bolo para o quarto e especulava Nico.

— Como ficou o corpo da tua mãe?

A empregada não descansava desde a chegada do menino, numa manhã foi ter com o patrão.

— Vou ficar com o Nico.

— Ser teu filho vai mudar nada, boto ele pra trabalhar do mesmo jeito. Amanhã ele vai ajudar Osório pentear o café no terreiro.

Dia seguinte, Tizica veio dizer que o garoto estava febril,

que daquele jeito não ia render, nem adiantava, ia dar mais trabalho.

— Nico já perdeu uma mãe. Na tua idade, não demora ele perde outra — respondeu Geraldo.

Os dias correram, Nico levava para o cafezal o almoço dos trabalhadores. A febre se mantinha, vestígios do raio ficaram nos olhos, cintilando. Numa madrugada, levantou-se e foi à cozinha, a lenha em brasa deu um halo vermelho ao menino, os sabugos de milho estalavam no calor do fogão, o filtro de barro era seco e vazio.

— Vai deitar, moleque — disse Tizica, de camisola.

Ao encostar nele percebeu a febre, mais um pouco matava as enzimas que transformam farinha de trigo em célula humana. Foi à cisterna puxar um balde com água. Levou com ela o garoto, que sorveu o frio madrigal. Molhou a nuca, os braços, testa, por fim todo o balde pelo corpo magro. Levantou a camisa dele, deixando o pulmão tomar raios lunares.

— Vai te esfriar.

Tizica ouviu barulho no mato, podia ser lobo indo sondar galinhas. Fosse, Geraldo sairia com a espingarda. Questão de minuto e o patrão engatilhou no alpendre. Não viu os dois no terreiro, Nico tinha adormecido no colo de Tizica, ela estava sentada, imóvel. O barulho se aproximou, Nico gritou com o tiro. O lobo caiu perto das cebolinhas.

# 4.

Júlia tinha os vestidos engomados, as meias passadas. Antônio o mesmo trato. As irmãs francesas estavam em missão católica na pequena cidade, gostavam de crianças enquanto elas cresciam e repetiam ensinamentos. Talco e farelo de sequilhos pulverizavam o chão de madeira. As jarras de refresco eram coloridas pelo sumo das frutas que se acomodava no leito. Quadris tensos, costelas curvas, ombros curvos. Pele fina, lençóis alvejados, broches e madrepérolas à noite.

— Talvez a família árabe fique com a pequena, a menina é obediente — supôs Marie.

— Mandarei uma carta — decidiu Cecille, cruzando as mãos.

A resposta chegou em um mês.

*Irmãs,*
*Irei conhecer a menina no próximo outono.*

*Leila*

A matriarca árabe chegou com duas malas, ia ficar poucos dias, só o tempo de visitar o colégio. Cecille ofereceu pouso no quarto com janela para o pátio. Do parapeito, Leila analisaria Júlia sem ser notada. Estudar os modos, o semblante, a pedra bruta.

— Volto para buscá-la em quatro anos.
— O que achou de Antônio?
— Quero só a menina.

Marie e Cecille não deram a notícia para Júlia, fariam isso às vésperas de sua partida para a capital. Nessa época Tizica foi à cidade comprar fazendas florais e estendeu visita aos irmãos de Nico.

— Eu ficaria com os três.
— Júlia já conseguiu um destino — disse Marie.

Tizica voltou com tecidos e pães de canela. Disse ao Nico, enquanto ele comia, que Júlia ia para longe e que Antônio ninguém quis. Antes de Geraldo ir dormir Tizica foi amornar o leite do patrão.

— Tô pensando em levar Nico pra ver os irmãos.
— Ninguém vai pra cidade, quero os dois aqui dentro.

Timóteo estava montado na porteira, barro no sapato, acendia um cigarro. Árvores altas, finas nas pontas, o óleo do eucalipto tentando sair de dentro das folhas. Nico carregava lenha, só mais dois feixes adentrando a despensa e terminaria o trabalho. Timóteo apagou o cigarro, desceu e deu com ele. Nico saudou o rapaz, diminuindo o passo.

— Sabe nadar, Timóteo?
— Nadar pra onde? Ficou doido?

Nico botou sobre o ombro o último monte de lenha e entrou.

## 5.

Nico não saía da fazenda Rio Claro fazia quatro anos. Traços adultos já borravam a cara infantil. Notícia dos irmãos vinha por Tizica, ela os visitava de três em três meses. Antônio demorou a ser alfabetizado, tinha dificuldade de concentração, tímido, não permitia aproximações. Júlia articulava sílabas com facilidade e recebia cuidados para não perder o viço dos doces de vitrine. Era borrifada com lavanda, o cabelo alinhado com pente de osso.

A adoção, bagagem e documentos de Júlia estavam acertados. O carro escuro e encerado parou na entrada do colégio. Irmã Cecille desceu as escadas para receber a matriarca. Leila beijou a mão da freira e pediu a bênção, concedida num murmúrio automático. A mulher suplicou pressa e nenhuma cerimônia na despedida para que pegassem estrada imediatamente.

Cecille foi apanhar Júlia enquanto Marie se aproximava.

— Antônio chora, pede pra ir também, a senhora...

— Só a menina.

Leila conferia o relógio no pulso largo, Marie tossiu. Júlia surgiu embalada num vestido branco bordado nas mangas. O brilho do carro debaixo do sol a perfurou feito lança, estacou no meio da escada. Cecille a puxou pelo braço e entregou os pertences à matriarca, tudo coube numa frasqueira.

Na estrada, Júlia via passar o lombo das serras e cachoeiras que pela distância pareciam congeladas, um fio branco imóvel com começo, meio e fim. Na cidade, depois de viadutos e túneis, enjoada pela constância hipnótica do trajeto, Júlia desceu na porta da pequena mansão.

Leila atravessou com ela as salas da casa. Na cozinha serviu uma sopa de carne que a esperava sobre o fogão, olhou-a sorver tudo, mas sem acompanhá-la. A menina limpou a boca com um guardanapo e foi encaminhada para uma edícula ao fundo. Leila deixou a mala de Júlia ao lado de uma cama de solteiro. No quartinho ainda havia um guarda-roupa, um rádio de pilha e atrás da porta uma tábua de passar roupa.

A casa maior cheirava cardamomo, âmbar nos lustres, castanha nos móveis, alaranjada pela luz do dia. Jardim aparado e aprisionado em formas educadas, tâmaras nos potes do guarda-louça, prata sobre a mesa aos domingos. O sobrado no fundo, pela escadinha lateral o acesso ao cômodo destinado a Júlia, seu lugar.

# 6.

As irmãs francesas recebiam crianças de toda a região, abrigavam os órfãos sem restrição inicial, cuidavam da aparência deles para atrair famílias que os adotassem. Antônio beirava os onze anos. Braços e pernas eram mais curtos que o tronco, também pequeno para a idade.

— O dr. Calixto chegou.

— Irei recebê-lo, apanhe Antônio.

Calixto sentou-se na cadeira, ao lado havia uma cama com lençol e travesseiro, cortina espessa cobria o vitrô, local de consultas médicas eventuais. Antônio veio de bermuda e camisa, sapato de couro com cadarço de algodão. Calixto analisou o menino por duas horas. Fez um sinal com a cabeça denunciando o fim das observações clínicas. Cecille ajudou Antônio a se vestir e o encaminhou para o refeitório, onde iam servir a merenda vespertina.

— Irmã Marie, ele é anão — esclareceu o médico.

— Anão como?

— Anão. Corre riscos pulmonares e coronários inerentes às

pessoas com esse destino menor, irmã. Não tenho dúvida, é anão. Algum caso na família?

— Os pais eram normais.

— Nesse caso, os antepassados explicariam a inibição das glândulas de crescimento. Ou o problema pode ter se iniciado nele mesmo. Que Deus não me ouça, mas já ouvi casos em que a mulher adúltera é castigada com um filho defeituoso.

— O senhor me acompanhe até a porta, doutor.

Marie despediu-se de Calixto e, do segundo andar do colégio, foi observar Antônio. Não conhecia anões, nem os que se exibem nas praças. Saber que hospedava uma criança anã foi ter acesso ao berçário das galáxias. Marie queria conhecer o mecanismo do mistério, mas igualmente manter-se longe do fenômeno e da ciência que o explica. Pelo pátio Antônio limpava, com o braço, o leite da boca. Tinha a altura do Moraes, menino de sete anos.

— Tenho esperança de um fazendeiro querer esse rapazola nas rotinas de casa, varrer uma despensa — disse Cecille.

Numa quina da sala estava Geraldina, mãe de Geraldo. Era uma presença que acompanhava o pequeno Antônio, não podia ser vista e essa condição lhe permitia interferir até mesmo no sono do anão. O menino dormia nove horas por noite, com alterações cardíacas coerentes aos sonhos e à influência.

Antônio pouco se lembrava da fisionomia dos pais, que se reduziu a pontinhos sem a reta que os alinhavasse. Da voz sim, um timbre feminino que a memória conduzia para um trovão, de um agudo menor para o maior.

# 7.

A casa dos Malaquias não ficou sozinha, vizinhos apanharam os pertences da família. Com os donos mortos, os filhos pelo mundo, aquilo era de quem chegasse antes. Veio Eneido, vizinho dos Malaquias e também funcionário da fazenda Rio Claro. Eneido pegou tudo com autoridade de parente: panela, monjolo, cobertas de lã e novelos fiados por Donana rechearam sacos. Gamelas, galinheiro, galinhas, galo, pato, o milho adulto. Secos foram guardados em paiol, molhados, em cumbucas e cuias.

A casa ficou vazia. Tinha-se nos arredores o direito legitimado, apalavrado, de que a propriedade era de Nico, Júlia e Antônio. Eneido só tomaria conta até que chegasse a maioridade das crianças.

Geraldo se interessava pela casa, não a construção, mas a tormenta que houve nela. Reconhecia poderes se estivessem acima dele, embora relâmpagos toquem o chão, ainda mais tenebroso, alcançam as nuvens. Mandava Timóteo, vez ou outra, ver como estava a casa. Só ver, não limpar, não tocar. Depois de levar móveis, roupas e provisões, Eneido deixou as paredes e o teto abrigando ar. Morando perto da propriedade, notava as visitas diurnas de Timóteo e as noturnas de Geraldo. O fazendeiro era um solteirão ainda robusto, levava umas donas para o cômodo chamuscado. Não comentava o assunto, Geraldo era dono até do que não tinha.

Eneido espiava o movimento da moradia abandonada. Enquanto os de sua casa dormiam, ele ia pela estrada de terra até a cerca de arame e chuchu. Ajeitava-se de cócoras, tirando um legume e outro da haste, abrindo o campo de observação.

Viu Geraldo baixar uma alça de vestido que cobria uma mulher, ele a despia com ânimo taurino. Ela saía de sua larva de algodão, os braços escapavam da roupa laçando o pescoço do touro. De onde estava, Eneido sentia o cheiro da fêmea. Não era muito nova, mulher de tato firme, íntima da carne, deu um seio ao mamífero. A mulher se empinou, ficou mais alta e curva, uma estrada no meio das costas. Da nuca à cintura, uma canaleta se enchia de suor. Eneido fungava o gemido de Geraldo, o casal levantou poeira, pedregulhos que os pés raspavam, indo e vindo.

Vigorosos como Geraldo, quase todos, Eneido incluso. Chegando em casa, este foi ver as filhas dormindo. Frescas, cobertas por lençol, duas meninas abraçadas. Na mais nova, passou dedos entre as coxas pequeninas, encostou no vapor do sexo. Ninguém viu, nem ela sentiu a ponto de acordar.

De volta à fazenda, Geraldo repousou debaixo do colchão uma medalha embrulhada numa calcinha. A dona, em sua casa de também outras donas, bebeu um copo de leite e deixou de molho, com água e sabão, o vestido engomado pelo sumo de Geraldo.

# 8.

 

Geraldo não era o único fazendeiro, havia outros, distantes pela própria lonjura dos limites das terras. Não se casou por conta da mãe, cuidou dela até a morte. Depois de parir Geraldo, Geraldina caiu doente de doença sem explicação. Não tinha dores, os olhos lacrimejavam sem parar, uma seiva amarela em torno da íris negra. Foi fecundada três vezes depois de Geraldo nascer. Por três vezes sofreu hemorragias polpudas, não segurou mais vida no útero. Os filhos perdidos, sempre aos quatro meses de gestação, ela enterrava perto do rio. Fazia uma trouxinha de pano com sangue e consistências, amarrava com fiapo de palha seca e rezava pela alma de quem não pôde trazer à luz.

O pai de Geraldo morreu no terceiro filho morto. Os abortos o deixaram impotente, perdeu a força nas pernas, os rins ficaram preguiçosos, a mente enfraqueceu. A matriarca criou Geraldo sozinha. O menino foi tomando conta de tudo sem receio, sem moderação. A voz transbordava, tinha o tom de um chifre, só menos arrastada.

Geraldina Passos morreu no começo de um verão, mas enterrar o corpo não apagou a figura. Restou uma espécie de memória, que mesmo minúscula e transparente tinha uma estrutura, permanecia organizada e material. Circulava como o pó de uma penteadeira não encerada, a respiração de alguém a faria levitar.

    Nos primeiros meses ela ficou em casa, num canto do quarto. Tizica se benzia ao percorrer a vassoura pelo cômodo que Geraldo quis manter fechado. No primeiro Natal sem Geraldina, Tizica pôs o leite no fogo e ele não ferveu. Ficou inerte dentro do bule de ágata, o leite intacto com a gordura dos capins que o gerou, a temperatura não moveu uma molécula do lugar. Nem sequer uma borbulha emergiu, a superfície se manteve lisa.

    Tizica comentava o caso na região e era desafiada.

— Fica falando essas coisas, vai atrair a defunta.

— Tem perigo não, o que tá morto, tá enterrado.

# 9.

Júlia habitava o quartinho dos fundos com a mesma resistência que habitava o orfanato. O rosto nunca aderia por completo ao travesseiro, sempre um intervalo entre ela e o ambiente. Ela só podia circular pela casa com autorização de Leila, a mãe adotiva. Comia na cozinha e tinha que se recolher no fim do dia. Aos domingos Leila colocava Júlia para ajudar Dolfina, senhora que já cuidava da mansão há anos e também dormia nos fundos.

— Faz quanto tempo a senhora mora aqui?

Dolfina picava os legumes que a menina ia tirando da geladeira.

— Até esqueci, a mãe da Leila que me trouxe, cheguei grandinha.

Leila recebia visitas tão importantes que Júlia não ia para a sala, tampouco Dolfina. Depois dos pratos servidos, elas ouviam rádio. De vez em quando Dolfina deixava Júlia dormir em seu quarto, botava o colchão perto da porta.

Dos serviços, o menos incômodo era dobrar fronhas e toalhas de rosto. Camisas e outros panos mereciam atenção com vincos e ela não tinha mãos habilidosas com a rapidez. Já fronhas e toalhas de rosto se dobravam com facilidade e delícia, o algodão macio e cheiroso perfumava a pele. Ela só não podia guardar, não alcançava os maleiros. Comia o que davam, caldo de miúdos de frango, rosca de erva-doce. Preferia sabores terrosos, que ao menos tivessem cor de ferrugem. O mel, de qual florada viesse, devorava como pedaço de pão, mastigando.

No verão seguinte, Leila embarcou Dolfina num navio de grande porte, a empregada ia fazer companhia para a irmã de Leila em outro continente. Em sua ausência veio Ludéria, uma cozinheira que sabia fazer banquetes árabes, bebidas dos sultões. Refresco de rosas molhava copos de cristal e ouro nas bordas, almofadas pela sala, música do Oriente. Júlia ficava com as mãos geladas na presença de Ludéria. Um dia caiu de febre branda e constante. Acharam que fosse verme do tempo da roça, mandaram fazer exames, ver se também não era anemia.

— Isso é manha — disse a cozinheira.

— Manha nunca foi seu defeito, está estranhando a senhora, ela é acostumada com Dolfina — respondeu Leila.

— E Dolfina demora?

— Não volta mais.

Leila explicou que a empregada havia falecido no navio, já era velha e os rins faliram durante a viagem. Ludéria imaginou o calor da embarcação ao sol e se abanou.

— Depois que a febre da menina baixar, eu mesma conto.

## 10.

Nico fez vinte anos. Antônio alcançou dezessete. Júlia completou quinze.

No ventre do vale ocorria, todos os anos, uma festa invernal em volta da capela. Nico ficou um rapaz loiro e sólido, recebeu permissão para as saídas noturnas. O desejo pinicava a roupa íntima, penteava o cabelo devagar em dia de celebração. Com a pele lisa, vermelha nos pomos do rosto, Nico estava uma macieira.

Pedaços inteiros de animais assavam na brasa. Bebidas quentes fumegavam nas canecas. A noite avançava, abóbada negra, a madeira das cômodas rangendo nos quartos das casas, arraial em fermentação. Em festa, casais se formariam definindo o futuro, ou só ali o meio de o sangue encharcar as veias finas dos calcanhares.

Maria olhava o rio raso espelhar o teto do vale, mais escuro que seus olhos. A nata do rio vibrou com o vento baixo e se alisou em seguida. Maria não morava longe, no vale seguinte às serras do entorno. Morena, cabelo liso, olhos pequenos, risinho na boca miúda. Olhava os rapazes com o queixo para baixo, o olhar de cima para baixo, de frente para trás como quem recebe uma carta por debaixo da porta.

Nico a viu, e mais nada, o resto da noite. Maria foi abordada por um homem falante que se curvava sobre ela. Ele se aproximava do ouvido, um pé apoiado num tronco deu balanço aos braços, que gesticulavam de forma redonda e lenta. Maria continuou sentada numa madeira, o rapaz mantinha a corte. Ele saiu e voltou com uma lasca de carne num prato. Lasca grossa, coberta por farinha de milho, farinha úmida pelo sangue bovino. Agachou-se e ofereceu metade da carne. Maria negou com a cabeça e olhou para o lado, dando privacidade para que ele enfiasse os caninos na caça.

Não mais falaram, o rapaz desfiava na mão em concha um punhado de fumo fresco, o cheiro inundou o redor. Enrolou o tabaco numa palha, acendeu e acompanhou a fumaça suspender.

Nico bebia aguardente com canela, queimando a garganta.

— Taí paradão, Nico? — Timóteo chegou firmando um cotovelo no balcão.

— Só vendo.

— Quem fica vendo é lobo em volta de galinheiro.

— Como chama aquela perto do rio?

— Com o rapaz? É do Vale Aparecida, uns vinte quilômetros daqui. Toda festa ela vem, desse jeito aí.

— Namorado dela?

— Aquele é daqui não, da outra vez foi igualzinho, ela sentada lá embaixo e um homem em volta.

— Ela não deve gostar de homem desbotado.

— Com esse olho azul, abre esse olho direito que elas te enxergam.

Maria levantou-se e veio em direção aos dois na barraca das carnes. Passou por eles sem os notar. Nico respirou o cítrico dos cabelos limpos, as narinas dilataram-se, os dedos das mãos tomaram distância uns dos outros.

Maria esperava o corte do assado, ela cobriu os cabelos perfumados com capuz de lã, além do frio úmido a fumaça podia defumá-los.

— Posso falar com a moça? — arriscou Nico.

— Fala — sorriu sem olhar, em seguida ficou séria ao notar Nico.

— Como é teu nome?

— Maria.

— Eu sou Nico.

— Você é filho de quem?

— Sou de criação do Geraldo, da fazenda Rio Claro.

— E cadê seu pai e sua mãe? — interessou-se Maria, que voltou a sorrir, mas com economia.

— Morreram de raio.

Maria ficou com o assado esfriando no prato, ouvia Nico, que se abriu sentindo conforto pela primeira vez. Contou o que viu e o que não viu, do raio ao cuidado materno que recebeu por parte de Tizica, empregada já senhora, até a adoção de Júlia por uma família distante.

— Tua irmã ficou rica — ela concluiu.

— Não falaram mais da Júlia pra Tizica, também ela tá velhinha e não vai mais pra cidade.

Do outro lado da barraca, o rival observava Nico.

— Esse sonso deve ser parente dela pra conversar assim — comentou com o servente da barraca.

— Aquele ali tá com o Timóteo do Geraldo, é lá da fazenda. Parente nada, esse rapaz não tem família.

O rival passou por eles e despediu-se de Maria tirando o chapéu. Ela retribuiu com aceno frouxo.

## 11.

Nico soltava dos galhos os grãos maduros de café e os jogava no cesto de palha. Timóteo vigiava as ruas do cafezal. Os dias iam devagar, engenho azeitado, as horas escorregando no tempo como calda em pudim. Em Nico um vigor foi se esparramando como a calda. Maria tirou a rolha que impedia o trauma de se derramar e se secar ao sol.

Foi aí também que Nico deu por exata uma surdez parcial, sequela do trovão. Ele ainda se refrigerava debaixo da lua mesmo adulto, quando em quando o fogo ardia a nuca, saía de madrugada, caminhava até a beira do rio que margeia a fazenda e deitava-se de bruços nas folhas úmidas. Absorvia luz feito bebê sorve o leite da mãe, fortalecendo as vértebras, transformando galhos de cálcio em toras de madeira nobre. Tizica sabia de onde vinha aquele rapaz entrando em casa no meio da madrugada.

— Hora que Geraldo souber...

Chamava Maria em pensamento, a moça cruzava com graça as canelas finas, com o tronco de lado via-se o perfil majestoso. Parecia vinda da realeza, as mãos flutuando sobre o vestido de bolinhas muito pequenas, pontinhos no branco. Sapato combinando com a gola e os punhos de linho. Não era rica, evidente pela presença em festa de homens da lavoura. Era pequena, uma bolinha no vale.

Ela apareceu na porteira de manhã. Tizica recebeu a menina de dezessete anos, deu um pedaço de bolo e xícara de café.

— Nico agora só na hora do almoço. Fique aí quietinha pra não atrapalhar, vou ver meu serviço.

Maria tirava e botava a tiara sobre os cabelos, na dúvida entre coroar-se ou não.

## 12.

Antônio permanecia no orfanato.

Quando menor, aos onze anos, enquanto os demais cresciam da noite para o dia, suas pernas e braços se mantinham gordinhos e curtos. As crianças que chegavam ao colégio riam quando ele corria. Irmã Cecille censurava os risinhos infantis atrás das cortinas. O quadril se alargava, mais do que as pernas podiam sustentar. Ponte sobre pilares frágeis, as pernas desenhavam seu formato final, arqueadas. Calado e disperso, ajudava mais na cozinha que na limpeza do pátio, tarefa dos meninos. Gostava das moças e elas não se intimidavam com um menino que não exalava puberdade. Aos onze, outros meninos procuravam calcinhas no varal, saias abrindo-se ao vento, Antônio não. As glândulas estavam dormentes, rezava pais-nossos e ave-marias, mãos de polpa lisa, entoava o terço aos domingos. Gostava das penteadeiras das irmãs, não que ele quisesse ser mulher, pelo contrário, desejava ter alguma e de forma inseparável.

Terminada a tarefa na cozinha, subia para os quartos das irmãs e abria um gavetão pesado. De pé afundava o rosto nas calcinhas das freiras, se esfregava, cheirava o frescor do sabão neutro. Enfiava os braços num mergulho até tocar a madeira do fundo, voltava e começava outra vez. Marie entrava no quarto só para dormir, o resto do dia ela passava pelos deveres clericais e educacionais em outros aposentos do colégio. A primeira ejaculação foi numa anágua que ele levou amassada dentro da calça, guardou em sua mala e lá ficou.

Nunca foi flagrado. Antônio se chafurdava nas calcinhas grandes e ninguém viu um anão perdendo o freio, com a metade do corpo dentro de uma gaveta.

Lá fora duas nuvens murcharam borrifando os telhados e as pedras da pequena cidade. Antônio foi apanhar uma bola na poça de água e tropeçou no pátio por conta das pernas tortas. Ele se ajeitou num dos bancos da grande varanda, esperando o estio. Ficou molhado o resto da tarde, a regra era botar pijama às sete da noite, só no fim do dia ele trocou a camisa ensopada pela flanela seca. Marie achou melhor prevenir a gripe e deu ao pequeno uma infusão de poejo.

# 13.

Geraldo, assim que enterrou Geraldina, nunca mais pisou em cemitério. Para ir ao da família bastavam vinte metros a cavalo, saindo da sede. A bota ainda tinha a lama do enterro, o chapéu nunca mais usou, ficou numa caixa com as roupas da mãe. Geraldina descendia dos cataguases, últimos indígenas que viveram no vale da Serra Morena. Eles viviam em beira de rio e lagoa, acreditavam em assombração e se protegiam dela com a reza dos curandeiros. A mãe de Geraldina soube por um guerreiro velho que ela guardava água turva no ventre, e a descendente seria outra fêmea com água velha dentro da barriga. Aquela cepa dos cataguases havia sido lancetada por um veneno antigo, vindo de um inimigo que dormia durante o dia. E ainda, se a praga estava nelas, não estaria em mais ninguém. Alguém do organismo tribal seria o filtro da aldeia, Geraldina e sua água eram o sacrifício e a menstruação da Serra Morena.

Num ataque à aldeia, a mãe de Geraldina morreu longe dali fugindo de um bando, a ação não dizimou a tribo, mas muitos foram abatidos. Geraldina foi criada por uma viúva que a encontrou perdida no meio da mata procurando a mãe. O curandeiro decidiu que a viúva ficaria, além de ter salvo uma cataguás ela havia escapado de uma baleia negra que ficava do outro lado do vale. Portanto era digna de pouso.

Em segundo e último ataque, a mãe adotiva de Geraldina, a viúva, se amigou com um bandeirante. O grupo invasor matou os líderes cataguases e foi o fim daquele povo. O homem da bandeira ficou manco no enfrentamento e resolveu não correr mais atrás de tesouro algum, já tinha o suficiente. O bandeirante, de sobrenome Passos, se estabeleceu na terra dos indígenas e mandou buscar seus irmãos e primos para construírem um arraial na Serra Morena.

Geraldina cresceu já dona de fazenda e se casou com um primo. A família Passos era a mais bem-sucedida da região. Ela tinha respeito pelas irmãs francesas que fundaram o colégio na pequena cidade próxima, aos pés da Serra da Tormenta. Nunca as visitou em vida, nem sabia como eram suas faces e vestes.

Uma vez morta, Geraldina pôde circular onde bem quisesse. Caso fosse aumentada milhares de vezes, se veria a composição da matriarca: uma cadeia molecular, bolinhas capazes de se mover com certa autonomia e poder de decisão.

Ela chegou ao colégio levada por um caixeiro-viajante, sujeito que atravessava as fazendas e os povoados. Geraldina foi assentada entre garrafas de melado. Ficou na cozinha do colégio até se ambientar, depois flanou pelo pátio até alcançar os quartos, um carrapato procurando perna. Aproximou-se de uma órfã, uma menina anêmica que faleceu um pouco antes da chegada de Antônio.

Geraldo tem medo dela até hoje, do charco que era a mãe, lugar onde botas não marcam pegada, o alagadiço prende o movimento. Geraldina, num instinto separatista, se faria perturbadora ao se aproximar de Geraldo, para que ele saltasse do charco materno, feito pulga expulsa pela pata do animal.

# 14.

Nico correu, Timóteo o informou da visita. A cozinha incensada pelos assados, o sangue da galinha era uma omelete no caldo quente. O almoço seria servido, Maria estava defumada pelas carnes. Nico não se cabia, era a segunda vez que se viam.

— Quer conhecer meu pai?

Nico foi íntimo de Maria logo no primeiro instante, na confissão de seus dias. Elo já tão apertado acertou a esperança da menina, que acertou a do pai, que precisava saber de onde vinha a seta. Maria era de decisões e a escolha estava feita.

— Contei tudo, ele quer ver teu olho.

Maria falou de Nico para Dário, o pai. Ele adiantou os passos, vendo que a menina era peixe na rede. Com mais quatro filhas, era observador dos intervalos. Se houvesse ternura no olhar às seis da tarde, se o horizonte ultrapassasse a cerca do sítio, ele ia procurar a razão do feitiço. Maria contou de Nico num tom cerimonioso, não encontrou outro, e falando se ouviu entregue a uma união que nem mesmo havia nascido.

Nico sentou-se no banco de madeira, o prato quente, o copo suava o refresco de limão. Maria sentou-se ao lado.

— Vou te fazer um prato, menina, e um caldo de limão pra esfriar teu rosto.

Tizica ajeitou talheres mais brilhantes e guardanapo de pano para Maria. A moça inspirava tratos de alteza apesar da evidente vida comum. Dedos alongados, rosto de fruto ao pé.

— Teu pai é bravo?

— Faz que é bravo da porta pra fora.

Nico só bebia, não comia. Os dentes à deriva, incapazes de se ancorarem no leito da boca, triturar o almoço.

— Quando é pra ir?

— A gente pega o ônibus das cinco e meia — Maria ajeitou a barra do vestido, passou os dedos nas costas do bordado da manga, vício nas confirmações.

Tizica procurou o olhar de Nico para dar pela feição carinhosa a sua aprovação, deixou que ele também percebesse o ciúme daquele amor tenro, a inevitável saída daquela casa. Bastava a Tizica ter sido margem de rio para o menino que cresceu, agora era Maria que ondulava o riacho.

— Vou com ela pegar laranja pra doce — veio Tizica.

Ele voltou para colher os grãos, ela foi ao pomar colher as frutas. Os dois apressados, andar entre plantações deixou mais urgente eles não sabiam o quê. Tizica ofereceu um lenço.

— Pra não queimar tua cabeça, esse teu cabelo fininho.

Maria botou o lenço, a tiara veio por cima fazendo uma coroa, tão alvejado o lenço, uma grinalda. Foi enchendo o cesto, pisando em folhagem, quebrando folhas secas na umidade.

— Quantos anos tem o Nico?

— Nenhum, esse menino nem nasceu direito. — Tizica secou o suor do rosto no dorso da mão.

# 15.

Júlia secou os cabelos na toalha, prendeu os fios no coque de senhora, botou touca de linho cinza, desceu. Leila estava na cozinha sentada perto da mesa. Maquiada, roupas largas de seda, perfume noturno, amadeirado.

— Senta um pouco, quero te dar notícia de Dolfina.
— Quando ela volta?
— O navio estava com muita gente, ela tinha problema com pressão, deu crise de diabete, os rins não deram conta, ela não aguentou.
— Morreu?

Uma esfera perfeita nasceu na raiz dos olhos, a película estourou no meio do rosto.

— Trabalhe, que a melhor forma de vencer a dor é trabalhando. Depois do almoço você pode descansar.

Júlia via Leila coberta por luz líquida, outra lágrima presa no céu ocular.

— E agora?
— Você tem a Ludéria, ela é boa.

Leila saiu e Ludéria entrou, ensaiadas as duas. Ludéria pegou frutas, botou numa cesta e iniciou os cortes. Quadrados irregulares para a sobremesa, creme por cima.

— Você ainda vai gostar de mim, tem que gostar do que tem.

Júlia pegou as maçãs. Cortava com flacidez, a lâmina escorregava no lustro do pomo, quase descia para as veias do pulso. Dolfina foi a mulher, depois das francesas, para quem Júlia olhava os passos acreditando que um dia viria depois do outro. Uma convivência que traz a rotina, a constância que sustenta duas pernas debaixo de um tronco débil de sais minerais e nervos frágeis. Sem Dolfina, as pernas voltaram a cambalear. Buscava a morbidez do desmaio, mas ele não vinha.

— Olhe pra mim, Júlia.

Júlia não se mexeu.

— Domingo vou te levar na igreja pra clarear as ideias, não sei conversar, o padre sabe.

O suor encontrou duas lágrimas no pescoço, o retrato da Virgem Mãe perto do vitrô, uma senhora vestida com roupas de frio, um bebê no colo, a cabeça coberta. O outro, são Judas, tinha o olhar manso de um carteiro. Com os dois pedaços de papel, pensou, embrulharia batatas.

A infância ao lado de freiras a adestrou, pernas fechadas ao sentar, modos comedidos à mesa, voz baixa. Uma fonte de praça onde a água jorra disciplinada.

Leila também podava a fim de ver os frutos conforme mantivesse Júlia de galhos cortados. A menina sangrava a cada corte, mas cicatrizava com paciência e a clorofila tornava a trazer, à flor do pensamento, ideias de alcançar o mundo.

# 16.

Cecille assinava papéis, Marie tomou um comprimido.
— Precisamos contar para Antônio.
— É cedo. — Marie virou um copo de água.
— Está sendo rejeitado pelos veteranos e pelos novatos, pior, pelas visitas. Um anão. Ele já sabe que é diferente, só vamos informar o nome da doença.
— Não é doença, é destino como outro qualquer. — Marie olhou para a janela procurando pó. — Eu conto.
Antônio estava no quarto de Marie com o rosto no gavetão, o nariz nas anáguas, as mãos nas meias de seda, freira francesa. Geraldina alcançou o pescoço de Antônio e dando pequenos saltos pinicava sua nuca, botou-o alerta. Marie passou pelas portas do quarto sem entrar. Ela seguiu pelo corredor, onde as escadas em caracol a levaram ao pátio. Antônio desceu do banco, fechou a gaveta e ficou atrás da porta. A nuca tinha minúsculos arrepios. Olhou para os dois lados e desceu a mesma escada que Marie. Viu que ela perguntava algo para um dos meninos e este negava com a cabeça. Foi assim com mais três. O refeitório estava a duas portas,

foi andando sem olhar para o interior do pátio, camuflando-se no estado anterior das coisas. Entrou no refeitório tão rápido quanto saiu em seguida, fingindo que por lá sempre esteve e saía para trocar os ares. Deu de cara com Marie.

— Antônio, venha comigo.

— Sim, senhora — sentiu fisgar um lado do rosto.

Tornou a subir as escadas, o mesmo corredor e finalmente a sala. Cecille não estava, Marie sentou-se atrás da mesa e tirou documentos de uma gaveta.

— Lembra-se dos exames que fizemos?

Antônio não respondeu, seguia as mãos dela tirando do envelope pardo um papel branco, o veredito médico.

— Você permanecerá com essa altura até ficar velho. Destino não tem cura. O reino está reservado às crianças, quero que você entenda, filho, que sua estatura pode ser sinal de uma infância que não vai terminar.

— Quando vou poder crescer? — Antônio estava aliviado, não crescer era menos grave que ser pego mergulhado na cômoda.

— Você cresceu tudo o que podia. As famílias que vêm aqui procurar filhos querem que seus pequenos cresçam. Por isso você será nosso pequeno, aqui mesmo.

Antônio agradeceu, estava sendo adotado pelas irmãs.

# 17.

Nico apertou a mão de Dário, pai de Maria. A casa simples, de limpeza a sentir pelo frescor das cortinas e dos tapetes.
— Maria disse que você não tem família.
— Família eu tenho, é que morreu — Nico respondeu olhando as mãos de Dário, cruzadas e ásperas.
Fez-se silêncio, então é verdade que o moço é órfão, confirmação na tristeza que murchou o corpo do rapaz. Maria foi ao quarto onde estavam as irmãs mais novas, todas quietas para escutarem a conversa.
— Júlia foi adotada por família da cidade e Antônio tá no orfanato.
— Você quer a Maria? — Dário a entregaria naquele momento, cardume de lambaris que Nico tinha nas duas represas do rosto, as escamas refletindo Dário.
Maria escondeu as palmas entre as coxas, um facho lilás atravessou lençóis no varal, contornou os batentes da janela, alcançou as pálpebras, foi maquiada pelo sol.
— Quero.

— Maria é criada com conforto miúdo, mas gosta das coisas, de tudo direito na cozinha, de lenha arrumada no terreiro.

Nico não tinha certeza se estava feliz ou era miração, um dia qualquer com um bilhete que chega à tarde, avisando a chegada de alguém distante. Maria estava a caminho. O pai entregava a filha sem pedir nada em troca.

— Você pode vir aqui todo sábado namorar Maria, a gente vai acertando lá pra frente.

Maria levou Nico até a porteira. Um casamento acertado antes de um beijo, ao menos um toque nas omoplatas. Ele passou a mão pela cintura de Maria e sentiu explodir esperma quente dentro das calças. Ela gemeu como se o jorro fosse dela. Com o susto, Nico desfez o abraço e despediu-se.

Logo depois, Geraldo soube do casamento.

— E vão morar onde?

— Na casa onde nasci.

— Botei uma moça lá. Você é meu feito a casa. Que dinheiro você tem pra ter família? Quando foi que te dei dinheiro?

— Dinheiro de meu pai, estava no colchão, achei quando peguei a Júlia.

— Não vou botar a moça na rua pra capricho teu de casamento.

Tizica colocou o saleiro na mesa do almoço, eles descansaram o prato no joelho. Debaixo da cadeira, os cachorros pediam os ossos de galinha. A mão tremeu, Tizica a escondeu no bolso do avental, tremor da idade que avançava na velocidade de um formigueiro em construção, constante e imperioso.

— Você nunca falou desse dinheiro — veio Geraldo.

— Ia guardar de lembrança, eu não ia gastar. Tizica fez minha roupa, o senhor me deu de dormir e comer. Continuo trabalhando pro senhor, se quiser.

— E vou ter que te pagar?

Nico terminou a comida, Tizica botou água pra ferver.

— Ô, Tizica, não fala nada? Não é amolada com ele? Não tem apego no rapaz? Não tá vendo que ele tá indo embora?

Tizica botou café nas xícaras de ágata verde, derreteu o açúcar deitado na concha da colher.

— Nico podia me levar — falou com voz baixa.

Nico sorriu com aprovação.

— Capaz! Vai trabalhar aqui até o teu dia chegar.

Nico ficou calado, esperando o raciocínio de Geraldo.

— Vamos fazer assim, você me dá o dinheiro e eu vejo onde boto a moça.

O negócio foi fechado, Frederico deu o dinheiro do pai pela casa do pai. Por meses Nico e Maria namoraram na porteira de Dário. Tizica bordava enxoval, Dário engordava o leitão para a festa. Timóteo organizou um mutirão com os outros trabalhadores e a casa, deixada pela moça de Geraldo, ficou pronta em um mês. Eneido, que vigiava a morada, foi o último a sair. O lar de Nico e Maria tinha galinheiro, chão de cimento amarelo combinando com as franjas das toalhas, pomar em posição fetal debaixo da terra.

— Vou te visitar toda semana, levar queijo fresco e quiabo.

Ter quem visitar deu à Tizica um consolo. Casamento marcado, sábado de manhã, o almoço seria farto no terreiro da antiga casa. Nico tinha quinze dias para buscar os irmãos, a festa, revê-los ali mesmo, no vale da Serra Morena.

# 18.

Ludéria deu o recado, um telefonema rápido de Cecille.
— Teu irmão casa daqui a dez dias, a freira ligou avisando.
Júlia sentou-se.
— Ele tem o olho da minha mãe.
Nem a morte de Dolfina mexeu tanto. Veio tudo: Antônio, o suor da mãe, o cheiro agridoce do pai, a casa, o terreiro, o trovão. Saiu correndo para o quarto dos fundos, a febre galopava, cavalo sem rumo. A lembrança era uma cortina, a agonia um sofá, mobiliaria uma casa com aquela pilha de perturbações.
— Deixe-a no quarto, Ludéria — ordenou Leila.
— Posso cuidar de tudo sozinha, deixe a menina ir.
— Não, ela pode não voltar, enviarei um presente em nome dela para os noivos.
Júlia delirava no colchão xadrez sem lençol, as formas circulares do corpo encontrando as linhas retas da estampa. Ludéria chacoalhou seus ombros.
— Leila quer falar... você tá fervendo, vou te dar um banho frio.

De roupa trocada e pronta para nenhuma novidade, recebeu a informação.

— Meu filho Fuad se casa nos próximos meses. Como vê, casamentos são corriqueiros nas famílias. Não posso ficar sem você por esses dias, sempre haverá a oportunidade de uma festa de noivado, isso você também terá aqui. Desobedecer minhas ordens é um pecado, eu te tenho nessa casa com decência.

Quieta, foi lavar a louça atrasada do almoço, logo o jantar teria que ser servido.

— Domingo vamos ver casamento na igreja, a gente chega na hora da missa e rezamos até a noiva entrar, ninguém vai tirar a gente — consolava Ludéria. — E depois tomamos sorvete no armazém, um aqui perto que fecha mais tarde.

Seis da tarde estavam lá as duas no banco da igreja, perto da porta de entrada. As roupas denunciavam o convite não feito. Longe do altar, mas integradas ao ambiente, sacerdote nenhum as tiraria de lá. Ajoelhadas, Júlia estava comungada e pedia uma passagem, um buraco no espaço onde pudesse presenciar Nico, sua mulher escolhida, Antônio, a Serra Morena.

Ludéria olhava sobre seus dedos unidos na oração superficial, os convidados se levantaram, o órgão soou notas clássicas e lá vinha a noiva trazida pelo pai. Arrastando a cauda de rendas, o brilho encerado dos sapatos, dos cabelos das madrinhas, dos anéis do padre. Casados, homem e mulher fizeram o caminho de volta ao som do mesmo órgão. O padre exigiu cooperação na saúde e na doença. Levantaram-se e seguiram despercebidas. A chuva de arroz, a carruagem cheia de fitas amarradas atrás. As duas foram para o armazém.

— Oi, Messias — sorriu Ludéria.

Messias, o vendeiro, nunca tinha visto Júlia com Ludéria, se deu conta da mocinha uma vez andando a passos curtos e rápidos na frente de seu comércio.

— Essa é Júlia, adotada da dona Leila.
— Na rua até essa hora?
— Nem são oito da noite, rapaz.
Júlia pegou um picolé de abacaxi, Ludéria um de coco.
— Amanhã vocês pagam.
Dia seguinte, Ludéria pediu que Júlia fosse ao armazém acertar os picolés, fez de propósito, ver se isso dava algum ânimo a ela. Não saía pra nada a não ser as missas, poderia ter pago na noite anterior, mas deixou que a natureza operasse. Júlia saiu escondida de Leila.
— Não quer outro? Pode pegar que eu não cobro, assim você vira freguesa. — Messias sorriu empolgado.
— Posso querer outra coisa?
— Pode se me falar de você, agora é bom que o armazém tá sem movimento.

# 19.

Antônio, com dezessete anos, já não mergulhava nas cômodas da freira, mas roubava meias das meninas. Tinha mania de cheiros, e todos eles eram agradáveis. Da carniça à fervura de uma compota. Gostava de colher e pote, pegar no fundo da vasilha um doce cremoso ou as fatias finas das cidras. Antônio se lambuza dos feitos de cozinha, até da água que enxágua as louças na pia, passa a mão cortando o fluxo da torneira. Era o filho do orfanato. Todo o colégio era dele, os cômodos, as cômodas, os órfãos, as freiras.

Tizica fez questão de ir com Nico buscar o Antônio.

— Nico! — disse Marie. — Me dê teu abraço, filho. Tivesse conosco, te criaríamos com amor.

— Amor não faltou — corrigiu Tizica.

— É o jeito de Marie, está emocionada — Cecille argumentou.

— Cadê Antônio? — Nico estava ansioso.

— Já mandei chamá-lo — respondeu Marie.

Nico foi à janela olhar o pátio. Era a primeira vez que via o interior do orfanato. Tinha a assepsia de um consultório médico. A limpeza deixava a luz do sol mais rala dentro das salas. O pátio estava afinado com as travessuras das crianças, que deixavam, depois das recreações, um farfalhar quicando entre os muros.

Geraldina também quicava sobre a mala de Antônio, sabia que não voltaria mais para as francesas, as madrepérolas, os sequilhos no pires.

— Quando o trará de volta? — perguntou Marie.

— Ele não é maior de idade, mas pode morar comigo. Voltar pra família, pra casa onde nascemos. — Nico sentia medo de a freira não permitir.

Cecille olhou Marie esperando que ela dissesse alguma coisa. Como isso não aconteceu, ela mesma veio esclarecer.

— Antônio precisa de cuidados especiais, ele tem um problema.

Antônio entrou na sala com a mala batendo nas costelas, perto do pulmão. A mala caiu. Ao reconhecer Nico estacado no canto, correu para as pernas do irmão.

— Ele é anão — disse Cecille.

Nico agachou-se lentamente, passou as mãos pelos cabelos de Antônio, trocaram eletricidade nesse toque.

— Não vou criar problemas pro Antônio, ele já tem o que vocês veem. Se for do gosto dele permitimos sua ida, mas se algo acontecer a esse rapaz a responsabilidade é toda sua, Nico.

Tizica se impacientou.

— Vamos, gente! Vamos que vai chover, melhor poeira que lama.

— A casa tá pronta, Antônio. Mandei chamar Júlia, a festa é daqui a cinco dias. A gente fica na Rio Claro até lá.

— Tua esposa vai deixar eu morar junto? Não sei fazer serviço de roça.

— Maria não vê a hora de te conhecer.

— Vamos! — Tizica não se aguentava, as freiras a observavam com análise e evidente irritação.

Nico se despediu das freiras, Tizica acenou um adeus e Antônio seguiu atrás vendo Marie e Cecille ficarem pequenas.

## 20.

Horas sob a poeira, a charrete passava pela porteira da Rio Claro. Geraldina, serpenteada no tornozelo de Antônio, se arrastou pesada pelo chão, não podia voltar àquela casa, ao seu filho, ao sangue ancestral. Enrodilhou-se ao pé de uma goiabeira sem frutos. Dali sairia cinco dias depois, na mesma charrete que ia levar Antônio para a casa de Nico.

— Tizica, abre a cama de mola lá no quarto do Nico, ou pega o berço antigo lá fora, deve caber o rapaz — sorriu Geraldo.

Antônio não notou a provocação, mas soube pela reação de Nico.

— Pega só o colchão, ele não precisa do berço.

Geraldo voltou à varanda, fumar o cigarro depois do licor. Tizica voltou com o colchão de estampa pueril. Ajeitou o ninho perto da cama de Nico.

— Vou encontrar as comadres na capela, hoje tem novena. Tem vela na gaveta, Antônio, não precisa ter medo. Chego mais tarde, tem pão e queijo no armário da copa.

Os dois ficaram mudos no quarto, a noite caiu. Nico interrompeu o silêncio como se cortasse um queijo duro.

— Sente alguma coisa? Dói?
— Tô acostumado.

Nico alegrou-se com a naturalidade.

— Deixo tudo baixo pra não amolar os outros.
— Vou te ensinar o que aprendi com Timóteo.
— Serviço de casa eu sou bom, ninguém me vê.

Maria sabia que Antônio estava com Nico. Outro homem não a afetava, mas como seria Júlia? Não aceitaria se submeter a ela, faria intimidade com o irmão, ia se abrigar no carinho de Nico, que só a Maria podia aquecer.

— Júlia deve tá uma moça — devaneou Nico. — Se parecer com a mãe, arruma marido aqui e fica.
— Ela tem outra mãe.
— Acha que ela vem?

Geraldo bateu na porta.

— Nico? Venha aqui, vou falar com você.

Levantou-se, pegou a vela e foi à sala.

— Eneido acabou de sair, entrou lobo no galinheiro, sobrou só a pata que tava dormindo. Veio pedir a espingarda.
— Vou lá.
— Vai nada, você nem sabe usar arma. Te chamei pra outra coisa, teu irmão vai trabalhar aqui, fazer companhia pra Tizica, se a velha murchar essa casa desgoverna.

Antônio ouviu do corredor, tateou no escuro a parede até a voz do irmão tornar-se nítida.

— Ele não serve pra nada, Geraldo. Vai manter o rapaz pra cozinhar enquanto Tizica borda pano?

Geraldina, ao pé da frutífera, reagia ao que ocorria na sala pela vibração de seu hospedeiro. Se Antônio ficasse naquelas terras, a fertilidade do solo cessaria, ela voltaria a ser pó sob a casa, onde os ossos foram enterrados. Não se fica onde se deixa a casca. Geraldo iria à ruína.

De volta ao quarto, Nico encontrou Antônio se cobrindo com um lençol. Antônio achou que o irmão havia acertado com Geraldo o seu rumo definitivo na fazenda, mas Nico lhe desejou boa-noite e abriu sobre Antônio uma manta quente. Ali, o que decidisse Nico era o certo, até deixá-lo longe tantas vezes fosse o caso.

## 21.

Messias dobrou três notas de valor e colocou num envelope de balas. Júlia botou o embrulho na bolsa, ela tinha se levantado antes de Ludéria e de qualquer outro da casa. Dois vestidos, um lenço, duas calcinhas, um batom. Tudo numa bolsa larga que pendurou no ombro.
— Conto pra Ludéria amanhã, assim dá tempo de você chegar no teu irmão. Você tem que voltar, senão eu mesmo chamo a polícia.
Messias ofereceu apoio, guarita e lanche para que Júlia pudesse rever a família.
— Saudade é difícil, eu tenho muita. Você é nova, quando voltar queria que se encantasse comigo.
Júlia corou, Messias beirava os quarenta anos, desquitado, pai de dois filhos que não via por quase quinze anos.
— Seu Messias, não quero namorar. Aceito ajuda porque meu irmão precisa de mim, parece que o senhor entende de distância.
— A gente conversa na volta.

Júlia deu as costas, saiu da sombra do armazém para a luz do asfalto, atravessou a rua e sumiu. O dinheiro dava conta das passagens de ida e volta, duas corridas de táxi e refresco para o lanche de carne que Messias preparou.

— Pra onde?

— Rodoviária.

Subiu a escada rolante pela primeira vez, segurou o corrimão e firmou a vista no percurso, reparou como as pessoas desciam sem muita diferença no andar, simples. O degrau foi abaixando até nivelar-se com o andar de chegada. Júlia deu um pulinho se defendendo da engenharia.

Guichês se apresentavam enfileirados. Foi observando os destinos possíveis. Sul, norte, leste, oeste, o meio. A atmosfera de partida e chegada era uma coisa só, o alívio por sair do transitório. Verificou os destinos e não sabia o melhor deles, o que a deixaria mais próxima de Serra Morena. Ao sul era certeza, bastava perguntar aos atendentes das empresas.

— Por gentileza, segura meu bebê pr'eu ir ao banheiro? Eu não demoro — uma mulher simpática, bem-vestida, mala de couro.

O bebê era gordo, touca de lã, sapatos de linha grossa.

— Tudo bem, não demore que eu já vou partir.

A mulher agradeceu e entrou no banheiro, Júlia ficou em pé na porta segurando a criança. As mãos do pequeno estavam embrulhadas junto ao corpo sem deixar nenhum movimento possível. Júlia achou justa a preocupação da mãe em dar segurança ao filho. Dosando o contato com o mundo, o bebê teria aos poucos aderência à vida.

O bebê mastigava a saliva levando o queixo para frente e para trás. Gemia vogais. Júlia trocou a criança de braço e deu uma afrouxada na manta, estava inquieto. Foi revezando o apoio, mudando o lado do quadril que encostava na parede. Passou trinta minutos, quarenta, cinquenta, sessenta.

— O senhor tem horas?
— Vai bater dez.

Foi até a roleta na porta do banheiro, uma senhora de avental verde fazia crochê atrás de uma mesa, nela uma caixa com pedaços dobrados de papel higiênico. Para entrar era o preço de um café, por um café recebia-se um pedaço de papel.

— Vai entrar ou não? — perguntou a mulher sem parar de buscar a linha com a agulha.

— Tô esperando a mulher de roxo que entrou.
— Se entrou não saiu, filha.

Júlia sentou-se numa das cadeiras de espera a alguns passos da entrada do banheiro. De lá observaria a saída da mulher com segurança, o braço estava formigando. Bem em cima dela havia um relógio, quinze para o meio-dia.

— Ainda não saiu? Vou lá dentro ver o que é isso — a senhora entrou deixando o novelo e um pedaço de tecido que cosia.

Todos os banheiros estavam ocupados e a fila aumentava. A mulher devia estar dentro de algum. A funcionária aproveitou para lavar as mãos e ver se naquele intervalo surgia alguém de roxo. Secou as mãos em papel e jogou no lixo um vidro de xarope vazio que estava no bolso do avental. Sem ter ouvido o vidro bater no fundo do cesto, reparou se havia jogado direito. Debaixo da embalagem havia um ninho roxo de seda.

— Era essa roupa que a mulher vestia? — perguntou para Júlia.

## 22.

Maria aparou o casaco na janela da cozinha e foi beijar Tizica. Antônio e Nico estavam no quarto enchendo um bornal com pequenas ferramentas de casa. Antônio calçou um par de chinelos e foi à cozinha. Deu com a silhueta ondulada de Maria contra a luz, tirou o chapéu e se aproximou.

— Você é Maria? Eu sou o Antônio.

Maria não deu a mão e nem respondeu ao cumprimento.

— Nem parece que ele tem dezessete anos — disse Tizica.

Nico flagrou Antônio fixado no rosto de Maria, descendo o foco pelo corpo até os pés.

— Tó. — Botou Tizica uma caneca de café nas mãos do anão.

— Maria, é Antônio — disse Nico, ofendido pelo silêncio dela.

— Ele acabando o café, a gente vai — respondeu Maria.

Tizica serviu o casal, beberam os três sem dizer palavra. Antônio devolveu a caneca e foi o primeiro a deixar a casa. Enquanto o pequeno abria a porteira, Geraldina saiu da goiabeira e se agitava próxima de Antônio.

Seguiram a pé. Geraldo não liberou Nico mais cedo, partiram com o céu já violeta. Caminhariam por uma hora debaixo de sol manso. O chinelo de Maria estava pesado da lama que se acrescentava a cada pisada. Respingava gotas marrons e grossas na barra do vestido. Ao longo das passadas, as bolinhas terrosas alcançavam quase a cintura, aumentando a distância entre uma e outra, com simetria. Chegou à entrada da casa com um bordado terracota no vestido claro.

Nico entrou primeiro, Maria seguiu, Antônio foi depois de fechar a porteira. Geraldina ia pelo ombro do anão, angustiada com a ansiedade de Antônio. A porta rangeu, a luz ocupou o espaço não preenchido por eles. A cozinha com o fogão sem cinzas, a mesa talhada por Adolfo Malaquias. Antônio correu para o quarto dos pais, escalou a cama, o colchão com lençol ralo, colocou o chapéu contra o peito e gemeu uma prece.

Maria abria os armários da cozinha contando os copos, os pratos, as travessas. Era a conta dos três e uma visita aos finais de semana. Nico foi ver as galinhas lá fora.

Janelas abertas, o vento ergueu a beira da toalha de mesa, refrescou a nuca de Antônio.

— Vou pegar o lampião — disse Antônio indo à despensa.

Nico voltou segurando um frangote pelos pés.

— Tizica vai achar bom comer um frango daqui.

— Tá anoitecendo, vamos embora — disse Maria.

A janela da cozinha bateu levada pelo vento, pela outra via-se a chuva, da nuvem ao chão, um muro cinza que se aproximava.

— Vamos! Dois homens com medo de chuva?

Nico convenceu Maria a esperar o estio, ela acendeu o lampião. Antônio sentou-se no banco ao lado da pia, balançava as pernas, os pés não encostavam no chão.

— Geraldo ia achar ruim da gente dormir aqui? — perguntou Antônio.

— Ia, capaz de mandar Timóteo vir atrás.

Geraldina avaliava a casa nova, as soleiras dariam um bom lugar para ficar parada.

— Vou ajeitar pra gente dormir aqui mesmo.

Maria foi para um dos três quartos. Ela e Nico dormiriam no quarto que foi de Donana e Adolfo. Os outros dois se dispunham seguidos: para entrar em um, tinha que passar pelo primeiro.

Antônio ouviu os cavalos. Lá fora, Timóteo, de capote, montado em um e segurando outro por uma corda. Sem falar nada, os três saíram. Nico montou Maria no cavalo que ele conduziria. Colocou Antônio atrás de Timóteo e voltaram para a fazenda Rio Claro. Maria dormiu com Tizica, Geraldina na goiabeira, os dois irmãos no quarto cheio de carrapatos.

## 23.

Ao meio-dia Leila deu falta de Júlia.

— Foi no armazém, deve estar quase chegando.

— Devia ter falado comigo, Ludéria, eu dou as permissões nessa casa.

Leila almoçava com Fuad, o filho. Ele também queria saber de Júlia.

Ludéria encarou Messias.

— Não fosse eu, a menina ia morrer de desgosto. Se tua patroa não quiser mais Júlia, eu fico com ela.

— Leila vai me pôr na rua e chamar a polícia.

Messias lhe serviu um copo de água com açúcar.

— Você vai comigo explicar tudo pro Fuad e a Leila.

— Vou nada, se me perguntarem digo que ajudei a coitada a ver a família.

Ludéria voltou trincando, ódio de Júlia. Leila a esperava na cozinha tomando um chá, cabelos avermelhados e brilhantes, joias de turmalina.

— A senhora precisa de alguma coisa?

— Preciso entender a Júlia. Eu criei com conforto e saúde, ia ficar no orfanato o resto dos dias.

Debaixo do pires um papel dobrado. Um bilhete deixado por Júlia, rabiscado com nervoso, eletrocardiograma de um gato em salto.

*Dona Leila e Ludéria,*
*Não demoro, não se preocupem. Peço perdão, chego depois do casamento de Nico. Com gratidão, que assim seja,*

*Júlia.*

Se Júlia entrasse pela porta, Ludéria a surraria.

— Mandarei uma carta às irmãs francesas. Não foi pra isso que trouxe a moça — disse Leila.

Messias, com Ludéria de novo em sua frente, tentava acalmar a jovem senhora.

— A culpa é tua — acusou Ludéria.

— Júlia não conhece o mundo e ia conhecer quando? Velha? — Messias percebeu que ofendia, amenizou. — Quem vai sempre volta. Confio nela, não sei por quê.

Leila falou com Fuad e resolveram que, se em três dias Júlia não voltasse, a mandariam de volta. Avisariam as freiras por carta.

## 24.

Tizica coroou Maria com flores frescas. Vestido sem bordado, feito de linha com tênue brilho, cintilação tímida, não como paetê nem panela areada, mas pele muito branca que transpira gotas minúsculas.

Nico estava de paletó claro, camisa branca. Sapato de couro, presente de Geraldo. Antônio usava camisa e calça cosidas por Tizica, exatas do seu tamanho. As beiras da camisa para dentro da calça, presas por um cinto ajustado à cintura infantil.

A capela cheia, Nico no altar. Os padrinhos, de um lado Antônio e Gonçalina, irmã de Maria, do outro Timóteo e irmã Cecille. No lugar dos pais do noivo, Geraldo e Tizica. Irmã Marie secava o suor na primeira fileira.

Todo o arraial convidado.

Tizica deixou Maria pronta, só faltando um funcionário de Geraldo preparar o carro de boi. Não era usual tal coisa, mas assim quis o pai de Maria, a filha puxada por bois, a força animal levando a noiva à capela. Os bois seguiam olhando o horizonte com fidalguice, sabendo que, se a carga era leve, tinha outra importância.

Chegou escoltada por outros homens a cavalo. Desceu ajudada pelo pai, que a esperava no portal da pequena igreja. No coreto, crianças brincavam de se esconder, a gargalhada salpicava o gramado. O pai pegou a filha pelo braço, os convidados se levantaram, um coral de quatro mulheres saudou a Virgem Maria.

Nico estava com vergonha de tanta gente por ele. Constrangedor mostrar a todos, ali em evidência, o tamanho do amor. A cerimônia foi rápida, a fome apertava.

Geraldina não passou do terceiro banco, o cheiro do altar era ardido, ela não podia avançar ao custo de perder a polidez. Ajeitou-se perto das comadres de seu tempo, muito velhas, surdas, quase alcançando o ponto de Geraldina. A presença de Geraldo também irritou, a familiaridade era até mesmo repulsiva, a descendência dava gastura.

A porteira foi aberta por Antônio, Tizica já estava na cozinha tirando os panos que cobriam as bacias com carne assada. Vizinhos e empregados de Geraldo se sentavam nos troncos, bancos no quintal.

Maria entrou no quarto, ia botar outro vestido. Nico esperava na sala, amigos da fazenda Rio Claro se acomodaram perto dele. Crianças corriam debaixo do abacateiro. Fechada no quarto, Maria desabotoou o vestido. Ganhou jarra, esteira, panela, boneca de pano, colcha bordada, travessa de vidro, concha, tesoura e mosquiteiro. Tudo sobre a cama do casal, o alumínio das panelas piscando luz no espelho do guarda-roupa.

— Vem, Maria, a Companhia de Reis chegou — falou Nico baixinho atrás da porta.

Um homem ágil, vestido de chita e máscara, fazia macaquices. Atrás vinham os músicos, uma sanfona, uma viola, uma caixa. Por último, um homem com calça de cetim segurava a bandeira, nela três estrelas e um menino. Os reis magos vinham dar a bênção, com a bandeira desfraldada entraram na casa. Final de dezembro, o nascimento de uma coisa e morte de outra. Alinharam-se na cozinha e um velho entoou uma ladainha. A sanfona adocicou o grave da caixa, a voz cobriu a casa com vibração esvoaçante. O mascarado deixava vazar dois olhos de tempestade, girava a cabeça de um lado para o outro, dava pulos no mesmo lugar. Ao fim da ladainha aninhou-se aos pés do sanfoneiro. Nico beijou a bandeira e a levou por todos os cômodos, batizando a casa.

# 25.

Anoiteceu na rodoviária.

— Vamos pra minha casa, a gente deixa o menino na polícia. Ó, meu nome é Dinorá. Quanto você tem de dinheiro?

— Dá pra ir e voltar de Serra Morena.

— Onde é isso?

— Meu irmão se casou hoje, tenho que ir.

— Primeiro tem que resolver esse menino. Se te pedem documento dele vai dizer o quê? Vão achar que você roubou. Perto da minha casa tem uma delegacia. Olha aí, tá precisando de um banho, ó, o cheiro. Vem comigo pra você dar um banho nele, um leite, aí levamos pro delegado. Depois você vê teu irmão.

— Amanhã volto com a senhora, vou comprar minha passagem.

— Isso, eu entro às seis no banheiro. Primeiro o nenê, depois você.

Foram de trem até a periferia. Dinorá abriu a porta da casa e deu com dois dos filhos comendo macarrão na cozinha.

— Essa é Júlia e esse nenê eu tô chamando de Jorge, achei os dois na rodoviária. Hoje vocês dormem na sala.

## 26.

Marie estava com a cabeça dolorida de um resfriado insistente. Cecille entrou no quarto sem bater, sentou-se na beira da cama, abriu a carta.
— Posso ler?
Contrariada, Marie deu espaço na cama.

*Irmãs,*
*Creio ter me equivocado com a educação dada aos filhos de vosso colégio e orfanato. A educação se percebe no recato e na polidez. Mas com a fuga de Júlia, possivelmente para a Serra Morena, tenham-na de volta. Eu mesma não a considero minha com tal desobediência, irônico para quem viveu sob os vossos auspícios. Fiquemos em paz os dois lados, não há vítimas nem culpados. Amém.*

— Essa senhora tem menos juízo que Júlia — disse Marie.
— Leila achou que a entregaríamos criada, uma mulher fica pronta mais tarde.

— O que faremos?

— Amanhã sigo para Serra Morena, vou avisar o Nico. Ele nem comentou a ausência da irmã, decerto pra não chorar.

— Cecille, onde está Júlia?

— A caminho, claro, algo fez ela se atrasar.

— E se Maria não a receber?

— Vai sim, é uma cristã exemplar, notei. Com dois homens ela não dará conta da casa. Dou um ano para o primeiro filho.

— Verdade, está sozinha com dois homens — disse Marie.

— Bobagem, Antônio é quase filho do Nico, vai ser adulto nunca.

— A natureza é um horror, aqui ele ficava no pátio debaixo de nossos olhos.

— Júlia tem que chegar.

# 27.

Timóteo veio com um envelope. Geraldo abriu.

— É pra todo mundo se encontrar na capela hoje à tarde. Aviso geral, veio da cidade. Você vai em meu nome, Timóteo. Não deve ser sério, vai ver é médico novo que eles vão apresentar pro povo.

Nico ainda trabalhava na fazenda Rio Claro. Maria recebeu o comunicado em casa, mas não sabia ler. Antônio leu com vagar, juntando sílabas.

— A gente fecha a casa e vai. Nico deve ir da fazenda com Timóteo e Tizica. Hora dessa já receberam o recado.

Casas fechadas, foram chegando crianças, mulheres, homens, os cachorros atrás. Encontravam-se no caminho e especulavam. Nunca antes um aviso para todo mundo e com urgência.

Com a capela cheia, um homem de fala clara deu o recado. Para o desenvolvimento da região uma hidrelétrica seria criada. Para tal, era preciso represar água. O melhor lugar envolvia boa parte das fazendas e isso incluía o vale da Serra Morena. A empresa compraria as posses e facilitaria a construção de novas casas na cidade. O futuro tinha chegado.

— A água vai vir de onde?
— Quanto de água cabe no vale?
— Vai cobrir nossa casa?
— Da minha casa saio nem morto.

O homem deu o endereço onde poderiam negociar o preço das casas e deu boa tarde.

— Eu me afogo antes, sou mais baixo — disse Antônio.
— Vão afogar a gente? — veio Tizica.
— Acho que a água chega de uma vez — disse Timóteo.

A capela foi se esvaziando e ficou Eneido, antigo vizinho de Donana e agora de Nico. A casa onde nasceu e se criou ninguém ia derrubar, bater martelo, deixar poeira. Se tivesse que subir água ia ser cobrindo ela inteira, com ele dentro. Com todos os móveis, os filhos e a mulher, roupa no varal.

Geraldo pulou da cadeira.

— Mas a água vai entrar na sede! Vou na cidade amanhã falar com o rapaz. Eu devia ter ido, você não sabe nem passar recado direito, Timóteo. Tô vendo que não entendeu nada. Você falou que trabalha pra mim?

— Não deu tempo.

— Pois amanhã você vai comigo ouvir direito e repassar pra esse povo tonto.

Dia seguinte, Geraldo voltou e chamou o povoado à capela. Confirmou tudo, o vale se transformaria numa represa funda para funcionar hidrelétrica, a cidade ia se iluminar até o alto da Serra. Quem fosse para o alto não ia ter problema com a água, teria boa vista para descansar. Ninguém seria lesado pelo homem. Ele mesmo, Geraldo, ia vender e pegar o dinheiro das casas. Que ele tinha se acertado com o rapaz, e no final o progresso não chega sem bagunça, palavras do homem.

Geraldina se encolheu com medo do afogamento, não pelos pulmões, que não tinha, mas pelo hospedeiro Antônio.

## 28.

Alguns moradores já embrulhavam talheres para a mudança. Geraldo tirou comissão de cada família convencida por ele. Pensou em abrir comércio na cidade e viver da nova fartura que se apresentava. Tendo ainda mais terras, acabaria por manter os trabalhos na lavoura, o dinheiro ganho com a venda da sede cobriria as chateações da mudança.

Tizica não saía das novenas, dali trinta dias, às seis da manhã, a água iniciaria evolução. Maria estava grávida, a notícia, ela germinada fazia três meses, apressou Nico. O negócio seria acertado de imediato para a construção da nova casa. Geraldo deu por ela metade do que valia. Frederico correu para o mutirão, que se alastrou. Um fazia a casa do outro, Timóteo caprichava os chiqueiros.

Maria tinha náuseas estonteantes. Desmaiava com sol quente, estremecia com vento. Antônio ajudou na construção, o acabamento dos fogões a lenha tinha o esmero das mãos de artesão, pequenas e ágeis. Fez, com palha, uma vassourinha para a limpeza em volta das brasas.

Geraldo pagou Nico e ofereceu pedra da fazenda. Ofereceu para compra. Nico negou, o dinheiro não dava.

— Paga depois com serviço.

— Já tenho material, seu Geraldo.

E de fato. O pai de Maria, morando longe daquele progresso, arranjou de tudo um pouco. Somando ajudas às peças da antiga casa que ele reutilizaria, a nova casa estaria pronta. Um pouco menor, mas com espaço para o tempo trazer mais cômodos.

As paredes subiam, o chão se alisou vermelho, a janela oca faltando as folhas de madeira que viriam da velha casa na derradeira hora. Antônio deixou o fogão vermelho igual ao chão, par de rubis.

Tizica não participou do mutirão, teve que dobrar e desdobrar roupa, encaixotar louças da fazenda. Iriam para a cidade enquanto a nova sede não ficava pronta. Essa, sem mutirão, sem pressa no acabamento, seria maior, varanda de fora a fora. Tirando tudo dos armários, vieram roupas, meias finas, pente de osso, broche de pedras e um espelho, que caiu escorregando de um lenço. Espatifou-se pelo chão, Tizica pisou nisso descalça e tingiu o lenço com o sangue escuro do corte.

Maria sentia dores abaixo do umbigo, as mãos inchadas, retinha líquido, qualquer um. Bebia café como refresco, comia porco como fruta. A pele oleosa, o enjoo de embarcação à deriva. Nico mal acudia à esposa, só a acalmava à noite, depois do trabalho dobrado.

Geraldo não deu folga para os empregados, a fazenda Rio Claro se manteria produtiva até o último dia.

Maria cortava lenha, lavava roupa, varria o terreiro, costurava lençol para o berço. Fim do dia, subia com o carro de boi até a casa nova, ainda sem teto, levar bolo para o mutirão. Antônio via ela chegar e parava o que estava fazendo, achava bonito ver Maria chegar.

# 29.

Dinorá se despediu de Júlia.
— E bota o uniforme bem arrumadinha. É banheiro, mas o povo viaja no luxo.

Júlia deixou o bebê na delegacia, mandou carta para Leila dizendo estar com o irmão e que ficaria com ele. Os filhos de Dinorá procuravam uma pensão para Júlia. Dinorá arrumou emprego para a Malaquias, o mesmo que o dela. Ficava agora na roleta de um banheiro, o mais próximo das plataformas de embarque. Picotava papel higiênico com meio metro cada pedaço, tirava o lixo, passava pano com amoníaco cinco vezes ao dia. O trabalho era menor que na casa de Leila, mas sentiu falta das louças, do silêncio dos armários.

Exalava cheiro de pinho ou lavanda, dependendo do desinfetante. Os filhos de Dinorá nada viram nela de atrativo. Mulher de recato repulsivo, um quê de freira. Passavam pela roleta mais de mil mulheres ao dia. Reparava nos sapatos, nas saias, nas conversas. As novas mais nervosas, as velhas mais tristes.

Ludéria leu primeiro a carta de Júlia.

— Não vem, ficou por lá.

— As irmãs devem ter avisado que eu não a receberia mais.

— Tenho saudade, Messias então... o homem apaixonou, perguntou se eu tinha um retrato dela pra dar a ele, a senhora tem?

— Não daria se tivesse, acaba aqui esse assunto, Ludéria.

As irmãs francesas deram Júlia como quem retornasse ao juízo.

— Acredito que ela esteja com Leila, deve ter voltado pra casa, teríamos notícias se ainda estivesse perdida — disse Marie ao Nico, que não podendo esperar foi até o colégio saber da irmã pelas freiras.

Júlia pensava nos irmãos como crianças, não conseguia perceber um homem neles. Vendo o vai e vem das pessoas, embarque e desembarque, despedida e cumprimento, criança agasalhada, velho com travesseiro. No trem, voltando com Dinorá, sentia ela viajante, todo dia o mesmo trajeto.

— Teu irmão tá te esperando até hoje?

— Tá nada. As irmãs devem pensar que estou com Leila. Nico e Antônio devem achar que não tive coragem de voltar.

— E não teve?

— Não.

— Pecado, dava pra ter ido e voltado. Por que desceu do ônibus quando ligaram o motor? Gostou da minha casa, foi?

— Gosto de ver os outros irem, fico vendo, pensando no que tem na mala deles, o que ficou na casa, a família esperando. Os meninos nem sabiam se eu ia ou não.

— Olhe, pro teu aluguel só banheiro não vai dar, vai ter que arrumar um bico.

## 30.

Dois dias para sair, com mais três a água chegava para fazer do vale um lago, a reserva da luz elétrica. Mais da metade do vale havia se mudado.

— Queria saber como a água faz acender lâmpada — especulava Timóteo.

— Negócio é dormir que amanhã a gente leva o resto das coisas pra cidade — ordenou Tizica.

Maria tinha os enjoos agora acalmados com chá de melissa. Nico apertou o último cigarro do dia, depois cairia na cama. Antônio lavava os pés na despensa. A janela aberta para o vento refrescar o quarto, dia quente, a casa um forno.

Eneido, ainda vizinho de Nico, nada fez, nada faria. A mulher já estava na cidade com as filhas, a mãe e a sogra. Eneido duvidava da represa, nada surgiria de repente sem que já não houvesse surgido antes, a represa não ia acontecer porque nunca existiu. Deitou-se, o terço enrolado na ponta da cama.

Antônio botou as mãos debaixo do corpo, Geraldina embaixo do armário, o vale dormia. A água vinha caudalosa, força de motor, varrendo o chão, os ninhos de cupim, arbustos secos, alguns cavalos corriam dela.

Nico acordou com o galo fora de hora. Saiu iluminando a noite com vela, avistou um brilho que se mexia, cristalino, a lua estava encoberta. Aquele molusco, polvo com todos os tentáculos em direção às casas, a represa vinha para o vale.

Acordou Maria e Antônio, saíram com a roupa do corpo, pela estrada de terra só os três caminhavam.

— É só subir, nem precisa chegar no alto. Vou passar na Tizica, chamar Timóteo — disse Nico.

— Não, vamos subir e você vai junto — respondeu Maria.

Antônio ficou com vergonha de chorar, chorou mesmo assim, choro miúdo, quieto.

— A água chega também na Júlia? — perguntou Antônio.

— Júlia tá longe, em casa segura — respondeu Nico.

Maria estava tranquila num milagre hormonal. Antônio era o último da fila de três pelo dorso da Serra Morena. Além de Eneido, alguns habitantes também resistiam. Eles tinham o sono do mar, apesar das aves, dos porcos e dos cachorros em polvorosa, nada os despertava do descanso. Como se um propósito anterior os ninasse.

Eneido despertou, abriu os olhos de repente. Foi à janela e viu o vale virando bacia. Era corrente e gelada, sentiu o fluido nas canelas.

Geraldina ficou na casa, Antônio nem se deu conta de que o corpo estava mais ligeiro, ainda que a situação o pusesse entre a urgência em migrar e o receio da desgraça. Geraldina ficou por uma compatibilidade inusitada com a umidade do ar, que a deixou estacionária, feito pó solúvel à espera do líquido que o faça ter outro estado.

Algumas famílias começavam a despertar, a água pela beira das pias, molhando os braços de quem estava na cama. A escuridão, molhando fósforos, velas, derrubando o querosene. Eneido sentou-se na varanda, com a água pelos joelhos. Ali, nadar, só nadava Geraldo, que calçou ligeiro as botas dentro do quarto, a sede da fazenda ficava em plano mais alto.

A água foi estourando obstáculos, uma enxurrada histérica. O muro de água derrubou cercas, as com ferrugem e traça na madeira. Alguns corriam pela estrada vendo a casa alagar, a água preenchendo cômodos como um copo debaixo de torneira. Eneido subiu no telhado, sentou-se, viu um prato verde ser coberto por mel preto, o brilho viscoso da represa se formando à noite.

Uma família se paralisou diante da inundação, não saíram da casa, em silêncio se deixaram afogar. Temência ao natural, aceitaram o destino de progresso, feito deles o cordeiro do sacrifício. Uma paralisia triunfante, injeção de morfina, sem dor, calados.

No alto da Serra Morena, Nico, Maria e Antônio. No telhado da casa, Eneido. Mais ninguém.

## 31.

Antes do amanhecer a água mudou o tato das coisas. Um vento sob a represa que a superfície disfarçava, o chão soltando ar, as plantas ficando de lado, aconteciam peixes.

Geraldina se deformou debaixo da água, feito colar jazendo no fundo do mar. A estrutura alinhavada foi se desamarrando, ela liberava oxigênio conforme se espalhava. Partes foram vagando pelas térmicas, algumas saíram da casa, subiram à flor do lago. Um pedacinho foi parar embaixo da cadeira, cada parte um tentáculo sem o centro, uma cabeça, um córtex. Agora era formigueiro sem a rainha, as operárias obedecendo à lei comum. O total de todas as contas formava o colar, independente do local em que cada conta fosse parar. A dispersão não tinha fim, quanto mais longe uma parte da outra, mais distante o pensamento. Uma fórmula com seu princípio ativo atenuado.

O lodo se formou rápido por dentro da casa. O que tinha no filtro para beber se misturou ao resto, as descargas, os poços, o leite das jarras.

Geraldo conseguiu arrancar Tizica de dentro do quarto e

foram à cidade a cavalo, Timóteo foi junto. Tizica e Timóteo dormiram na casa recém-comprada e Geraldo voltou à Serra Morena, ver na claridade o que foi do vale. Saindo da estrada e pegando a estreita linha de terra, foi passando por cercas que agora protegiam o espelho líquido. As divisões de terras desapareceram, um obelisco saía do espelho, o teto cúpido da capela apontava o norte, seta de bússola. A tudo a água comeu, ao demorar no leito, a terra mastigaria coisa por coisa. Encontrou Nico na linha, olhando para a seta da bússola.

— Cadê o resto?

— Tão na casa, deu tempo.

Os dois emparelharam-se, Geraldo apeou do animal e botou o chapéu no peito, velando corpo, lembrança e a mãe, que perdeu o túmulo. O luto rompeu a bolsa de outra gestação, a parede celular de uma conta estourou, que fez as demais se romperem onde estivessem, Geraldina perdeu a definição. Geraldo se viu menino correndo onde era mato, catando ninho de joão-de-barro, enfiando a mão até quebrar a entrada ondulada.

Todas as mínimas partes da mãe se uniram à fórmula da água. Geraldina era elemento da represa, mas tinha propriedades como toda substância. Passando das margens de Serra Morena, a água era só a água do mundo e ela poderia se juntar outra vez. Na represa Geraldina era um veneno que, de tão diluído, teria efeito improvável.

# 32.

Júlia arrumou um bico por conselho de Dinorá. Vender bijuteria por catálogo, deixava o livreto perto do papel higiênico, no banheiro onde trabalhava. Algumas pediam para levar consigo, folhear enquanto se demoravam nas privadas. Devolviam sem encomendar nada.

— Como a pessoa vai encomendar se ela está de viagem? Tem que oferecer pra quem trabalha na rodoviária, Júlia — recomendou Dinorá.

Seguiu o conselho e foi vendendo desodorantes pelos guichês das companhias de ônibus. Mais de trinta por mês. Os meninos de Dinorá encontraram um quarto numa pensão familiar, Júlia se mudou com uma sacola de roupas. Na pensão havia cama, guarda-roupa, mesinha e cômoda. Banheiro no corredor e cozinha coletiva, onde fez pão com erva-doce. Perfumou a pensão, adocicou solteiros de família, seus vizinhos de quarto.

Ela voltava do almoço quando a mulher de roxo entrou no banheiro, dessa vez de branco. Tinha outro bebê nos braços. Não reconheceu Júlia, que usava, além do uniforme, um boné que cobria os cabelos. Ficou bons quarenta minutos lá dentro, saiu sem o bebê. Um grupo fez fila na roleta e Júlia não pôde se levantar para observar. Assim que o grupo se diluiu viu sair uma senhora com a criança no colo, que chorava o estridente de recém-nascido. Contou à Dinorá.

— Não mexe com isso, se ela aparecer outra vez enfia tua cara na mão. Não deixa ela te reconhecer.

A mulher voltou e nem passou pela roleta, foi direto falar com Júlia.

— Cadê o nenê que deixei com você?

— O papel higiênico.

— Te dou um dia pra trazer o menino de volta, roubar criança dá cadeia.

Não foi medo, mas um troço frio que deu em Júlia. Uma mãe não pode ficar tanto tempo sem procurar o filho. Não pode se encontrar com quem o deixou e esperar mais um dia. Dinorá foi pensando no trem.

— A gente desce e passa no distrito, fala com o seu Amadeu, descreve a mulher pra ele, tá resolvido.

Na delegacia, Amadeu sentado com a camisa abotoada, menos no meio da barriga pontuda, os pelos grisalhos saindo pela fresta.

— Tá vendo esse rapaz no corredor? É o Tadeu, ele vai averiguar, ele mesmo encaminhou o bebê que vocês trouxeram para a instituição de menores.

— Acharam a mãe dele?

— Sei nem da minha, senhora.

## 33.

Maria tinha a barriga brilhante de tão esticada. Tizica, depois de mudar-se para a cidade, não apareceu mais pela Serra Morena. A idade impedia movimentos maiores, circulava pelo miolo do comércio e pelo colégio. Encantada estava com as lojas de armarinho ali tão próximas. Geraldo a mantinha na casa nova para afazeres amenos, ela verificava as coisas e não mais as concluía. Casão com vista para a praça, varanda para a igreja de torre alta, sinos maciços. Não saía das saias das irmãs francesas, que tinham a idade alcançada como ela, no meio dos setenta anos, rio caudaloso para trás, riacho fino pela frente.

Na Serra Morena restou Nico com a família e Eneido, que tendo visto sua casa afundar aos poucos quase se deixou morrer nela. Com tudo tomado pela água, se embrenhou ao redor da cachoeira da Serra Morena. A família, instalada na cidade como Tizica e os ex-habitantes do arraial, o deu por morto.

Nico andava bastante até chegar às novas terras de Geraldo, bem depois da Serra, para trabalhar. Comprou do patrão porcos e galinhas. Antônio fez horta de verduras, pomar e canteiro de coentro. Maria pediu que Antônio cultivasse arruda, ele fez sem saber pra quê, não perguntou. Os dois circulavam pela casa coreografados pelas necessidades de engenho. Enquanto uma batia claras, outro varria o terreiro. Enquanto uma jogava milho no chiqueiro, outro cortava lenha.

Uma contração se deu na base de Maria, na bacia, nela toda. Os pais dela, que já moravam longe, visitavam as filhas casadas em momentos esparsos. A mãe viria ajudar no parto, mas o nascimento se adiantou e ela só chegaria em oito dias.

Quando Nico veio da fazenda, ouviu Maria no quarto, intuiu o que era e teve vergonha de entrar. Procurou por Antônio, este saiu do quarto ofegante, com uma bacia de água rosada e panos vermelhos de hemoglobina sem solvente, sangue puro. Passou por Nico, botou água nova da chaleira e pegou pano de prato limpo.

— Um já veio, é dois — avisou Antônio.

Nico tirou o chapéu e foi ao terreiro, lua cheia em ponto, verão, fruto rompendo casca. Arrancou a camisa como nos tempos de menino febril, deitou com o rosto no chapéu, as costas para o céu, respirou dentro da cuia de palha. Lembrou-se da mãe parindo Júlia, parto que ele ouviu, os sons da saída dela, a chegada ao mundo. Tudo ao redor cheirando acre, não ouviu o primeiro que nasceu. Se era morto, Antônio teria dito. Ele abria a porteira quando a chama da vela se curvou com o grito da criança. De onde estava podia ver a luz avermelhada do quarto, a janela aberta, a sombra de Antônio na parede, alto e altivo. Achou ter visto um vulto debaixo da janela, deixou de achar no mesmo instante.

Maria deitou-se em travesseiros, as pernas abertas com o vestido erguido até a cintura. Antônio deu a mão para ela apertar. O primeiro que veio à luz era menina e estava embrulhada ao lado. A criança ainda tinha os restos de terra humana, os lubrificantes do rompimento.

Nico ouviu o segundo choro, espada saindo pela janela, indo se embainhar nele. Levantou-se e entrou, o bafo quente pela casa, uma suspensão. Antônio veio com um nos braços.

— Esse veio menino, Maria deu um casal.

Os dois foram para o quarto, os três quietos. Maria assustada com a violência e anestesiada pela perspectiva de não ter mais cólicas e rasgos. Mandou Antônio trazer a bacia com água morna e botar arruda para ferver. Quando o menino nasceu, a menina voltou a chorar, quando o menino parou, ela parou também, sincronizados. A menina se encaixou no seio, o menino resistiu, mas foi ronronando com o cheiro de leite, aos poucos os dois bebiam na mãe. Maria acomodou os filhotes em berço ao lado da cama de casal, pediu para os dois saírem do quarto. Trocou os lençóis, ergueu o vestido e sentou-se numa bacia larga, com as folhas de arruda salpicadas, incensando até o telhado. O banho de assento foi trazendo de volta as células que se esticaram. Gemia, esperando o refazimento do tecido esgarçado.

## 34.

Nico trabalhava com calor nas mãos, alegria constante. Batizaram as crianças na cidade, o menino é Onofre, a menina é Anésia. Os dois de amarelo nos braços de Maria. Foi quando Tizica os conheceu. Cecille e Marie também foram.

Timóteo, o padrinho. Gonçalina, irmã de Maria, a madrinha.

Antônio carregava os gêmeos por tudo, botava-os num carrinho de mão e saía para o meio do milharal. A sombra das espigas manchava o macacão que os vestia. Maria deixava, o casal voltava com manha e fome. Antônio saía de onde Maria estivesse quando ela tirava o seio para amamentar, ele sabia que a refeição láctea tinha terminado ao ouvir suspiro da mãe.

Nico chegava com um tambor de leite grosso, amarelado de gordura, Maria tomava o creme puro. Às vezes trazia um porco abatido na fazenda, picava a carne e temperava com alho, sal, cheiro-verde e pimenta. Deixava de um dia para o outro e fritava na banha suína. Os pedaços eram guardados em latas de dez litros com a gordura despejada por cima. Todos os dias Maria tirava com a concha os pedaços conservados na banha endurecida.

Aquilo dourava o arroz deixando-o solto e brilhante. Tomates em rodela, cebola e pepino. Molho de gordura de porco, limão, pimenta-de-cheiro e sal. Pela tarde, abacate e mamão com rapadura moída, esfarelada dentro da cuia macia da fruta.

Café o dia todo, mal esfriava no bule e se coava outro. Todos passavam café, Maria, Antônio e Nico. Sabia-se a diferença da autoria pelo adoçado, cada um, uma medida.

Num domingo, Onofre e Anésia dormiam, Antônio na sala roçando canivete na sola das botas, Maria no quarto jogando talco nos vestidos da cômoda, deu um toque no pescoço. Nico passava café, Antônio sentiu o cheiro e foi sugerir um biscoito de polvilho, ele mesmo o faria se Maria deixasse.

— Faz, mas deixa a cozinha arrumada e não usa a gordura toda que amanhã faço sabão.

Antônio pegou na despensa os ovos, leite e polvilho azedo. No fogão a lenha a água borbulhava, Nico botou açúcar deixando-a leitosa, acrescentou o pó torrado pela manhã e levou a mistura até a pia, onde a coaria no bule. Antônio usava a lateral da mesma pia, ficou em pé sobre o banco para alcançá-la, ia misturar os ingredientes numa bacia. Na frente deles uma janela dava para a represa, ouvia-se dali uma cachoeira ao longe, constante, úmida.

Nico derramou a água fervente, o perfume subiu. Antônio interrompeu o biscoito para ver a fumaça se erguer. Nico apoiou a caneca de água na pia, Antônio fechou os olhos para fortalecer o aroma. Abriu-os e não viu mais o irmão, ele não estava mais na cozinha. Antônio se espichou para ver a água dentro do coador, ela desapareceu deixando uma pasta pelas beiradas, a caneca apoiada na pia, Maria fechando o armário lá dentro.

— Maria? Vem ver, o Nico caiu no bule.

Maria demorou a vir, pela impossibilidade do fato e nenhuma urgência naquela idiotia. Vendo Antônio olhar pela jane-

la, foi até a despensa procurar Nico, no terreiro, chiqueiro, paiol, milharal.
— Nico sair desse jeito? Sem falar nada?
— Saiu não, Maria. Ele foi embora no coador.
— Fala direito, Antônio.
— Ele tava passando o pó, hora que botou a água, sumiu.
— Daqui a pouco ele chega.
— Não mexe no bule, deixa do jeito que tá pra ele saber voltar.

Dois dias depois Timóteo veio saber por que Nico não aparecia na Rio Claro. Antônio disse que ele tinha ido parar dentro do bule, Maria interveio.
— Foi pra bule nenhum, ele saiu e a gente não sabe pra onde.
— Cadê o bule? É esse em cima da pia?
— É, taí desde antes de ontem.

Timóteo olhou para o coador e o pó estava ressequido, com o pano tingido de cor telha. Antônio foi pegar uma colher na despensa e deu na mão de Timóteo.
— Mexe aí, de repente...

Timóteo saiu atordoado, o sumiço de Nico e a alucinação de Antônio.
— Nico sumir é esquisito, vai ver pegou bicho no mato, tá ferido, vai procurar ele na mata, Timóteo! — ordenou Geraldo.
— E o bule?
— Isso é coisa de abestalhado, Antônio é de dentro de casa, ficou com as madames do colégio. Vê, Nico não ficou retardado feito o irmão.

Timóteo saiu à caça de Nico.

# 35.

Júlia deu por vencido o problema do bebê. Tadeu, da delegacia, apareceu dia seguinte na rodoviária e nada da mulher, nem depois. Esquecida do caso, começou nela saudade de Leila, do cuidado afastado, da louça empertigada, dos periquitos de Fuad, do abrigo servil.

Pensou em carta, sabia o endereço de cor. Linhas curtas dizendo do emprego, do quarto que ela pagava aluguel, das roupas novas que comprou no Centro, da missa que achou maior na catedral. Não mandou.

Dinorá se preocupava com os filhos, Júlia ouvia a mãe no ir e vir do trem. Sabia tudo, do nome das namoradas às doenças infantis que sofreram.

Adorou quando ganhou do chefe de limpeza uma caixa de bombons. Homem severo, que só havia se dirigido a ela no dia da contratação, ia comandando Júlia por outros funcionários. Nenhuma variação no comando: picotar papel higiênico, receber o dinheiro na roleta, dar o troco. Foi falar com ela depois do bombom.

— E o bebê?

— Quem?

— O bebê que você levou da rodoviária.

— O senhor soube? Deixei na delegacia.

— Pois se vire e traga o menino de volta.

No trem, Dinorá ignorou o fato e desembrulhou uma bala de hortelã. Com hálito fresco baforejou no vidro e desembaçou em seguida com as costas da mão.

— Meu turno vai mudar daqui a uma semana, a gente não vai mais se ver no caminho.

Ainda fariam o trajeto juntas por uns dias.

— Não acha bom a gente falar com o Tadeu? O Afonso da limpeza deve saber de alguma coisa.

— Não posso cuidar de você a vida toda, se vire.

Dia seguinte, Afonso vinha do outro lado do corredor se desviando dos viajantes, no meio das malas, cobertores dobrados. Dinorá se afastou de Júlia, seguiu para um banheiro na outra extremidade da rodoviária. Júlia cruzaria sozinha com Afonso.

— Júlia, me acompanhe. Seguiram até uma saleta.

— Precisamos conter custos, você está demitida.

— Eu?

— Na rua, desempregada, por que não volta pra tua terra? Tá na cara que tá perdida nessa rodoviária, isso tem meses.

Júlia nem tirou o uniforme verde, foi até o setor de Dinorá no lado norte da estação.

— Tava fácil demais, que dificuldade você viveu? Nenhuma. Sabe nem o que é problema. Chegou aqui gorda, morou em casa rica, colégio de freira. Hora de circular, Júlia. Vá que você tá atrapalhando a roleta.

Júlia chegou à pensão e fez uma sacola com suas coisas. Voltou à rodoviária, se informou, ainda não havia ônibus direto para Serra Morena, desceria no caminho, num restaurante da estrada.

Botou a sacola no meio dos pés e viu a paisagem pelo inverso da chegada, as marginais da metrópole até alcançar a linha contínua da rodovia.

# 36.

Timóteo procurava Nico fazia dias e nada. Geraldo mandou ver na cidade, ele mesmo avisou o sumiço às irmãs francesas, que tão logo iniciaram novena vespertina. Pela cidade, os que vieram da Serra Morena comentavam na praça.

— E se ele foi pro outro lado do vale?
— Nico não ia mexer com isso, agora que Maria ganhou nenê.
— Nessa hora o homem foge, lembra do Otacílio? O homem foi embora na hora do parto, nunca mais.
— Ou Antônio cresceu, virou homem e pegou Maria.
— Diz que anão não cresce.
— Vai ver uma hora cresce, do nada.
— Vai ver Antônio cresceu, matou Nico e pegou os meninos pra ele, vai ver os meninos são todos dele.
— É capaz.

Maria cuidava com mansidão de Anésia e Onofre. Gestos lentos para trocar as roupas, as fraldas amareladas e quentes. Lavava as fraldas com paciência e as pendurava no varal debaixo do sol desinfetante. Cada um com seu cada qual, Anésia no seio direito, Onofre no esquerdo. O leite dela sorvido pelas ventosas, as boquinhas fortes.

Antônio cuidava da pia sem mexer no bule em que Nico passou café. Onofre dormia, Anésia regurgitava. Do alto, a penugem do milharal fazia círculos que se alargavam do centro para fora, uma espiral felpuda. Galinhas batendo asas para escapar do cachorro, pintos rechonchudos e preguiçosos. O porco respirava curto deitado no chiqueiro, calor, pressão atmosférica, chuva que vinha.

A mãe de Maria levou provisões, Timóteo trouxe remédios mandados por Tizica, boticas para mulheres paridas e no início da luz.

— Conversa com ele, Maria.
— De que jeito?
— Olha pra dentro do bule e pergunta quando ele volta.
— Antônio!
— Deixa, mais tarde eu pergunto.

Antônio saiu da cozinha, a louça lavada que ele asseava em pé sobre um banco, seguiu até a porteira de onde a água da represa ficava maior sem a moldura da janela. Maria foi para beira da pia, o pano enferrujado de cafeína, o pó seco esfarelando. Botou água na chaleira, deixou ferver. Trouxe a ebulição e foi derramando uma linha quente. Quando a fumaça subiu veio junto, num fio dos que mantêm um fantoche em pé, um som. Não subiu cheiro, foi um ruído. Deixou mais água cair e achou ouvir Nico, a voz no fundo do coador, diluída e rala. Abaixou a orelha até a borda do bule para ouvir melhor, como concha do mar.

A chuva veio, esfriou a terra, o café, os pés de Maria. Antônio voltou da porteira de chapéu gotejando, ela sentada de pálpebras baixas, a saia amarrotada, as mãos debaixo das pernas.

— Que foi, Maria?
— Tô grávida, fiquei zonza, como na vez dos meninos.

## 37.

Manhã refrigerada pela chuva noturna, Antônio estranhou que Maria não saísse do quarto. Afastou a cortina da porta e a viu parada, a colcha até o joelho, as crianças de barriga para cima, velozes com as mãos e os pés.

— Maria?

Ela não respondeu, ele foi colher verdura na horta, a mãe de Maria estava para chegar numa visita mensal. Faria ele mesmo arroz, feijão, bisteca frita e salada de tomate com alface. Maria já havia ficado assim antes, estacada dentro de casa. Sem atividade, sem responder quando chamada. Dessa vez havia motivo: cadê Nico?

Antônio foi ao paiol pegar sabugo para o fogão. Subiu uma escadinha, destravou a tramela, abriu a porta larga de madeira. E eis ali Nico sobre as palhas, cochilante, as pernas soltas, abertas, o chapéu sobre o rosto.

— Maria? Nico voltou, tá no paiol.

Ela deixou as crianças entre travesseiros e foi andando na frente de Antônio, ligeira, ofegante.

— Onde cê tava?

— Dormindo — respondeu Nico, sentando-se, saindo aos poucos do paiol, botando o rosto debaixo da claridade.

— O que foi no teu olho?

— O que que tem?

— Escureceu.

Maria retornava para casa, mas voltou.

— Você tava do outro lado do vale?

— Tá doida?

Antônio se apoiava na enxada, o cotovelo no cabo.

— Teu olho, Nico, teu olho tá preto, os dois.

Os olhos de Nico, azuis como os da mãe, estavam de um ébano macio, pretos a perder o contorno do miolo, o túnel da íris. Antônio ficou na ponta dos pés, focando o rosto de Nico, e botou a enxada em cima do ombro.

— O café manchou o olho dele.

Os três na cozinha, Antônio pegou o coador para lavar.

— Toma um banho, Nico, pra tirar o pó.

Maria teve pontadas na barriga, no ventre, subia pelo estômago. Encurvou-se feito minhoca no chão. Nico a pegou no colo e a deitou na cama, ao lado dormiam os filhos.

— Sai do quarto — ela pediu.

Ele obedeceu. Maria se viu expelir, coisa entre parir e menstruar, nem um nem outro, os dois. Era pequeno, uma lagartixa. Agachada no canto, embrulhou o sangue coagulado e espesso numa fralda branca e ensolarada. Suava frio, Antônio entrou com uma xícara de chá de boldo, pensando nela uma indigestão.

— Passei mal foi pra baixo, Antônio, perdi o menino.

— Vou rezar um pai-nosso.

Nico voltou ao quarto, estava sonolento, sentou-se na beira da cama. Antônio foi para a porteira, subir nela e sentar-se, ver a paisagem maior. Rezou.

Maria pegou o embrulho, passou por Antônio e foi descendo a Serra, caminhando fraca, a fralda dentro de um saco de pano, as manchas de sangue alargando seu diâmetro no tecido. Alcançou a antiga estrada de terra, que a metros já divisava a represa. Foi para a beira, curvou o corpo até que a trouxinha encostasse na água e soltou os dedos. O saco foi se afrouxando, boiou até o peso ceder. Uma fisgada de dentro da água apressou a submersão.

## 38.

O ônibus se aproximava do restaurante em que Júlia deveria descer. O motorista desacelerou, esperando uma sombra que viesse de dentro, a passageira pronta para o desembarque. Como não veio ninguém, imaginou que ela estivesse dormindo ou mesmo esquecido, não ia parar o ônibus e ir até os passageiros acordá-la, continuou estrada. Júlia acordou na cidade final do percurso, saiu da salmoura do sono, estava em rodoviária pequena.

— Dormiu no ponto, menina, vai ter que comprar passagem de volta.

Ela comeu um pastel e esperou sentada em cima da sacola. O dinheiro dava para meia passagem.

— O senhor me deixa no restaurante pelo meio da viagem, pago metade.

Tornou a sentar-se na poltrona ainda morna, foi tentando o cochilo para de novo dormir no mesmo ponto. Assim não precisaria fingir, decidida mesmo pelo retorno. Serra Morena era curva fechada, um cotovelo, atalho que perdeu efeito. Nico e Antônio, sendo adultos, já não teriam, como em infância, o olhar de reconhecimento.

Dessa vez o motorista parou e esperou Júlia passar por ele com a sacola, nada. Fechou a porta e se prometeu rigidez na hora do acerto, na chegada ela ia ter que pagar o resto do percurso. Na plataforma de desembarque ela saiu com tal encolhimento que o motorista desistiu de cobrar. Júlia foi até o banheiro de Dinorá, ela estava como na primeira vez que a viu, fazendo crochê, olhando para os pontos abertos, preenchendo-os com linha fina.

— Oi.
— Você não foi pra tua cidade?
— Não deu certo.

Dinorá voltou para os pontos, observando as moedas caírem na caixa de papelão, o ingresso no toalete. A roleta não parava de ranger a entrada e a saída. Júlia sentou-se nas cadeiras de espera, embaixo do grande relógio, sem a visão das horas que fariam o círculo, da esquerda para a direita.

Não se alterou ao notar entre muitos a senhora de roxo, agora de verde. Aproximou-se de uma jovem agachada, a mocinha trocava as calças de um menino enquanto outro bebê dormia num carrinho. A senhora iniciou conversa amena, as duas riam. Disse qualquer coisa que fez a mãe se levantar com o maior no colo e seguir ligeira até a escada de acesso às plataformas. A senhora de verde levava o carrinho com o menor, em solidariedade com a mãe desajeitada. As duas corriam e desaceleravam num mesmo ímpeto. Júlia observava com atenção, de onde estava via tudo sem virar o pescoço.

A senhora, bem-vestida e sorriso cortês, num arranque desviou o carrinho enquanto a mãe descia a escada rolante sem poder retornar, outras pessoas vinham atrás segurando malas. A senhora deslizou as rodinhas até o banheiro, de onde saiu com roupa branca, embrulho nos braços e sumiu. Dinorá fez nada. A fome apertou em Júlia, ela mudou de posição na cadeira.

# 39.

O feto de Maria desceu até o fundo da represa, o pano que o cobria se estendeu e nadou, indo parar em outro lugar. Peixes chegaram ao feto, mas não abriu o apetite, ficaram em roda observando a formação humana. O sangue do embrulho se dissolveu em Geraldina. De tão dissolvida, a menor parte dela se uniu à menor parte dele. A cidade nova estava com os fios entre postes esperando a luz que viria da civilização, das águas represadas, a raiva da água enjaulada. No alto da Serra Morena, Maria botou uma lâmpada na sala. Nico abriu a janela para esperar a cidade nova se iluminar ao longe. Os três deram a cara pro sereno.

Geraldina foi assumindo certa fosforescência. Fluía de maneira que, de cima, se via um fio cintilante sob as águas seguindo uma rota inesperada e irresistível. Geraldina foi tragada pelos tubos da hidrelétrica, pela máquina do progresso.

— Aperta lá, Nico, a cidade acendeu.

Maria ria sozinha, lá embaixo a cidade era um buquê de vaga-lumes. Nico pousou o dedo e pôs força. Geraldina desembocou dentro da lâmpada, vibrou em volta da espiral, excelsa. A sala se iluminou nas quinas, os móveis fizeram sombra amena. Maria apagou as velas. Antônio bateu palma olhando o teto.

## 40.

Quase onze da noite, Dinorá já estava em casa, Júlia sentada no mesmo banco. Comeu um lanche morno, nenhuma colega de serviço a percebeu entre os viajantes. Um homem vinha em sua direção. Sonolenta, não percebeu que ele se aproximava.
— Júlia?
O sorriso aberto descortinou as obturações de Messias, menta vinha da boca, colônia, do tórax.
— Eu ia até Serra Morena te procurar, cobrar meu dinheiro.
— Ia?
— Ia.
Ele a pegou pela mão e saíram.
— Você dorme num quartinho que tenho nos fundos. Dona Leila não pode ver sua cara, nem Ludéria.
— Elas nem me procuraram.
— Acharam que você tava com tua família ou no orfanato. Mas Ludéria soube que nas freiras você não apareceu, eu fiquei preocupado.
Na propriedade de Messias, ela se deitou num colchão sem

lençol, um rato destruía algo duro numa quina. O armazém era perto da igreja, e a igreja não era longe de Leila. Ludéria passaria por ali no máximo em uma semana. Messias deixou o estabelecimento na mão de um funcionário para ir até Serra Morena ou onde fosse, no rastro de Júlia. Dormiu aliviado, nem precisou sair da cidade, a menina dormia no território dele.

— Não quero que Ludéria me veja.

— Daí já não sei.

Messias notou o cansaço da moça, a coceira no braço, vermelha e empelotada. Ela não sabia o que era, talvez o presunto da rodoviária.

— Isso é fraqueza, vou arrumar um tônico.

Depois Júlia passou o dia arrumando o quartinho, arrastou pacotes abertos de feijão, latas de óleo empilhou num canto. Os ratos dormiam nos buracos, seriam discretos na próxima merenda. Na segunda noite Messias deu uma batida na porta antes de ir deitar. Ela abriu e ele sentiu no rosto a vivacidade do ambiente rearranjado.

## 41.

Antônio passava o dia acendendo e apagando a lâmpada, olhando ela ser e não ser.
— Vai ficar nisso o dia todo? — resmungou Maria com Onofre no colo.
— É uma estrela dentro de casa, mesma coisa.
— Preciso de lenha.
— Nico disse que pega quando voltar do Geraldo.
A essa altura, Geraldina já havia readquirido autonomia e raciocínio. Ouviu da lâmpada o nome do filho, estava vibrátil ao que gestou. Enovelada na espiral, desapertou-se para atravessar o fino vidro da lâmpada. Misturada ao ar, sem jamais ser aspirada por alguém da sala. As substâncias se diferem pelos números, ela era ímpar, o ar, par. Os pulmões os reconhecem.
Livre, arraia indo se camuflar na areia, foi descendo até encostar-se no chão frio de cimento. E no choque térmico voltou para os pés de Antônio.
A jabuticabeira tinha ao pé um pedaço de tronco gasto, banco de Antônio degustar as bolinhas e encher com elas o chapéu.

Tingia as mãos e a barra da camisa na tinta da fruta, a jabuticaba explodia como fogos de artifício na boca de Antônio.

Enquanto ele se adoçava, Geraldina descansava amigável entre as bolinhas do tronco. Maria reclamou da árvore para Nico. Depois que deu fruta, Antônio ficava debaixo dela, fazendo falta dentro de casa.

Nico, com os olhos do tamanho e da cor do fruto, aos poucos voltava para a alegria de antes. Nem Geraldo nem Timóteo perguntaram a ele sobre o sumiço. Acreditavam que estaria do outro lado do vale, onde quem vai, se volta, volta virado. Maria nada disse sobre o coador de café, Antônio se manteve discreto. Perguntado pela Tizica sobre os olhos, Nico respondia não saber.

— Era o que você tinha de bonito, meu filho.

— A senhora não gosta?

— Sinto falta daquele olho cheio, você virou lua nova. Nico estranhava a cor que ele mesmo nunca via, mas sentia através do outro. Via o azul no contentamento de quem se dirigia a ele, ninguém se defende do claro. Com os olhos escuros Nico absorvia quem chegava, nele pesava a escuridão de quem o encarasse.

# 42.

Havia tempo que as irmãs francesas desejavam visitar a Serra Morena, sobretudo agora que Antônio vivia lá. Tizica, que não conhecia a casa depois da hidrelétrica, foi quem teve ideia de irem levar biscoitos de nata.

As três foram de carroça, um funcionário do colégio dirigia os cavalos. Cobertas por lenços, as francesas estavam banhadas em perfume. Tizica ia sentindo o cheiro das duas, ela no meio, entorpecida no patchuli.

Na porteira, Maria estava atenta pelo barulho que só podia ter destino no alto, nenhum outro lugar ali era rota de passeio. Maria respirou fundo reconhecendo as três. Coração pulando, pensou em notícias terríveis, mortes, alagamentos, alguma coisa em seu fim. Acreditava em hostilidade, que, se não viesse das velhas, seria da notícia que carregavam.

Foram descendo as três antes de a porteira abrir. Beijaram-se as faces e Tizica logo explicou que era visita ligeira. Antônio escolhia feijão na sala, a peneira sobre a coxa curta, os dedos gordos separando bagos inchados dos tenros.

Viu Cecille e Marie, levantou-se, pousou a peneira sobre o sofá e tirou o chapéu.

— Oi, meu filho — rebentou Marie.

— As senhoras entrem, vou fazer café — ofereceu Antônio.

As três seguiram em fila até a cozinha. Sentaram-se uma ao lado da outra no banco, debaixo da janela a luz penteava os fios presos nas presilhas, as três. Maria foi pegar as crianças no quarto para exibir. Onofre e Anésia já queriam ganhar o chão e espernearam no colo das velhas. Onofre queria pegar a mão de Anésia, cada qual num colo diferente, queriam as mãos umas nas outras.

Nico estava na propriedade de Geraldo sem se dar conta da visita. As três ficaram de reparo em Antônio, quase não se dirigiam à Maria. Tizica quem cuidava de não murchar a hospitalidade.

— Casal forte, os dois — arriscou Tizica.

— Tão grandes — respondeu Maria.

— Grandes — veio Cecille.

Antônio subiu num banco gasto por seus pés, as beiradas mais altas, o meio côncavo. Foi encaixando a lenha no fogo e se distraindo com as chispas. Ele estava engordando e a lordose se acentuava. Curvado sobre o fogão, as ancas muito tempo numa só posição como um cesto, um gato ameaçava se deitar em seus rins.

Elas teriam que dormir ali, seis horas de viagem, a idade frágil não suportaria a volta. A tarde se arrastou pesada e quieta. As irmãs observavam Antônio lavando louça, estendendo roupa no varal, botando a ponta da fralda num bambu e deixando-a cair sobre a corda. Secava assim mesmo emaranhada, amassada. Botava os vestidos de Maria, camisa de Nico, tudo sem forma, do jeito que aterrissava ficava no fio.

Maria escolheu um frango e o matou sentada na beira da cisterna. Antônio ia pegando cebolinha e chuchu, lavou o arroz na cuia, refogou alho na banha de porco para o feijão cozido de véspera. Maria mexia as panelas. Antônio sacodia os gêmeos, um de cada vez. Esquentou água para o banho deles, estendeu toalha sobre a cama do casal, botou a roupa limpa ao lado. Anésia jogava água para fora da bacia, na vez de Onofre, bebia dela pegando com a mão. Antônio jogava flor de melissa na bacia, dava cheiro e quietude. Maria deixou queimar a abobrinha.

Nico chegou, encontrou o velho homem da carroça e convidou-o para entrar e jantar. Comeram com luz do sol. Os estômagos, sacos acostumados ao horário, comiam a massa quente de mistura e feijão.

À noite, Cecille pediu um copo de leite ao Antônio, a cozinha acesa com lâmpada, as três no mesmo banco, do mesmo jeito.

— Tá morno — veio Antônio com a caneca.

— Ferve não? — perguntou Cecille.

— Não — respondeu Nico. — Feito no Geraldo, que não ferveu uma vez, não foi, Tizica?

As três foram para o quarto de Antônio, ele dormiu no sofá. Ajeitaram o pouso, as irmãs numa cama deitadas uma ao pé da outra e Tizica num colchão perto da porta.

— Não precisava virmos as duas, Tizica sozinha nos dava a situação da família.

Marie estava desconfortável na casa sem bibelôs e cristãos. Sem um tocador no banheiro, uma sobremesa mais cremosa, um sequilho com chá.

— Amanhã levaremos Antônio de volta, não podemos permitir. Antônio é um homem, ainda que anão. Pior, Maria não tem fibra e Nico não é mais o mesmo.

Tizica se encolheu debaixo do cobertor, a ela nada aborrecia ser uma visita, comer um jantar não feito por ela. Na madrugada Tizica ouviu o ranger de porta, conhecia aquele ritmo, vestiu-se e foi até Nico.

— As irmãs vão levar Antônio pra cidade.

— Vai nada, Antônio não é menino.

Tizica voltou para o quarto na ponta dos pés. As irmãs não a perceberam, fundos eram o sono e o cansaço do sacolejo da carroça. O motorista a percebeu, dormindo ele no outro sofá de conjunto onde roncava Antônio. Percebeu a sombra e virou-se para outro lado. Na manhã seguinte, Marie se adiantou.

— Antônio, faça suas malas e volte conosco, será melhor pra todos.

— Não posso deixar Maria.

— Casa em que a mulher é frouxa, o mal governa. Aqui nem se ferve um leite.

Geraldina ouvia tudo sob a mesa da cozinha, Antônio foi botar o leite no fogão.

— Fervo agora uma jarra pra senhora.

Maria ouvia a prosa do quarto, amargurada, olhou para Nico em socorro, que calçava as botinas para ir à cozinha.

— Vem ver, tem uma bolha subindo.

As três se espremeram na beirada do fogão a lenha. Dentro do caldeirão, três bolhas emergiram, era a própria Geraldina reagindo com vigor à alta temperatura, rodopiando como se em volta dela houvesse um bambolê e dentro dele ela se contorcesse. Ar da bolha.

## 43.

Geraldo mandou Timóteo procurar Eneido, ele estava desaparecido desde a fundação da hidrelétrica. Tizica lembrou que Eneido era dos empregados que conheceu Geraldina, que ela tinha por ele apreço, que o pai de Geraldo tinha por ele consideração. Tizica falou da tentativa de trazer de volta o Antônio ao colégio. Geraldo não tinha opinião a respeito, tanto feito como fizesse a existência do anão. Tizica desembestou a falar depois que chegou de Serra Morena. Ia lembrando dos antigos vizinhos, dos mortos, vivos, pensou no túmulo por vir.

— Quando eu morrer me bota junto da tua mãe, pode me jogar na...

— Me traz uma água depressa, e chama Timóteo que tenho ordem pra ele.

O rapaz fez a sacola com muda de roupa, metade de um bolo e uma garrafa de café.

— Você atravesse a serra, vá pro outro lado e me traga Eneido. Nico não fala, mas é lá que foi parar o safado.

— Por que Nico não vai no meu lugar, se ele já conhece a estrada?

— Ele pode se perder de novo, você não se perde porque é medroso. Nico ficou atrapalhado, como vai trazer Eneido? Já falava pouco, agora nem se ouve a voz.

— Vai ver ele foi pro bule de café.

Riram. Tizica ouviu, lembrando do leite que ferveu sem fazer nata.

Timóteo saiu pela manhã. Chegou aos pés da Serra Morena, subiu, passou pela porteira de Nico e seguiu. No alto, a pequena cidade se formava aos pés e ao longe. A torre da igreja nova, o casarão de Geraldo. Dali por diante não havia mais trilha, só uma picada, veredinha. Era continuar, com o cavalo se arranhando nos arbustos.

Com facão foi tirando os galhos secos, nada que ferisse as calças nem o couro do cavalo. Ele estava de costas para a cidade, que desapareceu atrás dele, foi descendo. As costas retas, o lombo equino inclinado. Foi se desviando, na rota um sinal qualquer que ele esperava surgir.

A mata ia fechando, a luz espremida caía mais concentrada no solo, nas raízes grossas e sementes de árvore que não dão flores. O cavalo parou sem que isso fosse uma ordem e Timóteo desceu. Caminhou três passos, afastou galhos e deu numa clareira, mas uma clareira no ar. Estava na beira de um precipício, deitou-se no chão, olhou para baixo. O peso do corpo rente à terra, quase escapou a coragem. Viu o rumo. A clareira abria-se para uma cachoeira frondosa e alta. Percebeu que contornando-a chegaria em sua base e por ela atravessaria o vale.

Contornou recuando. Já na base, seguiu por pedras menos pontiagudas, amarrou o cavalo num tronco e foi para trás da cortina branca de água gelada, ali sem gotas mais grossas, respingos finos indo pousar nos pelos do braço. Havia uma abertura redonda em uma pedra, se escorando ele enfiou a cabeça, braços e pernas. Conforme foi entrando, a abertura se alargava dando em uma sala ampla e alta, a cachoeira ficou no estágio anterior. Sentado, de cabelos emaranhados e pele terracota, o Eneido.

Timóteo passou por Eneido na curiosidade geográfica que se impunha. A luz escaldante vinha do sol, que se guardava de frente para a abertura da caverna, esta tinha como porta outro precipício, e este formava uma das paredes que cercavam outro vale. O outro lado do vale era outro vale.

# 44.

Nico soube que Timóteo foi procurar Eneido. Tizica contou, estranhou o interesse, vai ver Geraldo tinha gosto na filha de Eneido, agora adulta. Devia ser um pedido da moça, o pai de volta, nem que os ossos para enterrar perto, endereço para rezar a alma. Nico deu razão. Só isso mesmo para Geraldo dispensar funcionário feito Timóteo, mandar pro outro lado do vale.

— Lá que você ficou, Nico?
— Eu só dormi no paiol, gente.
— Viu Eneido?
— Tinha ninguém.

Tizica ainda queria especular Nico sobre o sumiço, era única a quem ele dava esse direito. Dava pouco, uma fresta que fechava em seguida para não amansar tensão.

Nico voltava da fazenda Rio Claro, agora duas horas mais longe. Antônio trazia do quarto Onofre e Anésia, os dois andavam fazia dias, as pernas inseguras, os pés com as solas inteiras no chão. Banho tomado, gola amarela do macacão de um, branca da outra. Ajeitou-se no sofá da sala, botou um gêmeo de cada lado esperando

Nico. Maria tirou da lata pedaços de porco frito, armazenados na gordura do próprio. A panela quente derretia a banha e aqueceu a carne macia. Duas tortas de banana esfriavam na janela, o cheiro morno subiu até os passarinhos. Nico chegava quando viu um quadril se mexendo na lateral da casa, maior que o de Maria, muito maior que o de Antônio. Mais: eram dois e usavam saias.

Duas senhoras idênticas, gêmeas, velhinhas iguais, estavam roubando as tortas. Botaram com travessa e tudo dentro de um bornal. Não viram Nico e se puseram a sumir, entraram no milharal e nenhum quadril foi mais visto.

Nico entrou, deixou o chapéu no sofá em que estavam Antônio e os filhos, correu para o milharal. Maria ouviu qualquer coisa e foi para a janela. Viu Nico mergulhar na plantação madura.

— Antônio! Antônio, corre atrás de Nico, ele vai sumir de novo.

As velhas gêmeas andavam por uma trilha imaginária e não riscada no chão, iam despedaçando a torta ainda quente, tirando da sacola pedaços da fruta cozida e farelos da massa seca. Nico tentava seguir o cheiro de banana, mas o milho foi imperativo e ele perdeu a pista olfativa. Parou e secou o suor. Sobre a folha mais próxima de seus olhos, um fio que não era de milho, e sim humano, branco e comprido. Folhas se mexiam no meio dos arbustos e não era vento baixo, Antônio surgiu com um facão, guerreiro gigante para as formigas que ele esmagou no caminho.

— Susto, Nico! Maria tá chamando.

Voltaram os dois. Maria deu falta da torta.

— As veias levaram, hora que cheguei tinha duas debaixo da janela, foram embora com as tortas — disse Nico.

— Nessa semana vem médico da cidade, cê podia falar com ele — disse Maria.

— São duas? Já vi, ficavam lá embaixo antes da represa, lavando roupa na ponte, parece que elas trabalhavam pro Geraldo quando a mãe dele ainda era viva — disse Antônio.

Maria respirou num alívio compartilhado por Nico. Ele tinha medo do que via, traumatizado pelo longo sono ou breve amnésia, esquecer ou guardar, o pior não sabia.

## 45.

— Entre lá nos fundos.

Ludéria seguiu pelo corredor lateral do comércio, passou por duas portas, cada qual com estoques de vassouras, rodos, bacias, detergentes, cereais. Ao fundo, bateu numa com tapete florido na soleira.

— Júlia?

— Entra.

Sentadas na beira da cama, um vitrô castanho sobre elas. Contou da rodoviária, Dinorá, Tadeu, mulher de roxo, pensão, a Serra Morena não alcançada.

— Fica aqui dentro o dia todo?

— Vou na missa das seis, a que você não vai.

Ludéria contou tudo à Leila naquela mesma tarde.

— Jamais a receberei de volta, diga isso a ela.

Júlia pediu à Ludéria, que então ia com ela às missas da tarde, algum bico. Ela aprendeu a falar melhor depois de trabalhar no banheiro da rodoviária, vendeu desodorante, tinha experiência. Ludéria achou difícil, ela não tinha roda de amigos, Messias, sim, ia saber de alguém.

— Preciso trabalhar, Messias, tanta gente que você conhece, alguém não precisa de uma faxineira?

— Tão bonita fazendo limpeza, por mim te dou tudo.

— Preciso, Messias.

— Pra juntar dinheiro e voltar pr'aquele lugar que não existe?

— Volto nunca mais, promessa.

Messias lembrou-se de um homem de sua idade, Jorge, que frequentava uma reunião, um lugar de boa-fé e bons homens. Jorge sondava se Messias queria um dia conversar a respeito. Jorge era assíduo no armazém, comprava peças inteiras de bacalhau. Messias se abria com ele sobre os negócios e até mesmo sobre Júlia. Revelou o interesse de um lugar onde pudesse colocar Júlia para trabalhar com segurança, sem perdê-la de vista. Jorge era cliente há mais de doze anos, desde o dia em que Messias abriu o comércio. Sempre atencioso, depois de especular e ser especulado, Messias apareceu numa das reuniões. Segredada a frequência, às segundas-feiras à noite se ausentava do caixa e dizia ir tratar da vida.

— Júlia, tem um lugar bom pra você fazer faxina, são dois salões, pouco serviço, um dia por semana e pagam bem, te alegra?

— Muito.

Júlia ia de manhã e ficava por três horas lustrando bancos de madeira, mesas de mármore, deixando branca a pia da cozinha onde nenhuma louça se lavava. Tirava o pó de uns mantos nas araras, encerava o chão branco e preto do primeiro salão. No segundo astros e estrelas pintados no teto a distraíam entre as enxaguadas do pano de chão.

— Chama Loja Maçônica.

— Não conheço — disse Ludéria.

— Deve ser religião porque tem a Bíblia numa mesa, tem banco de madeira igual da igreja, pintura na parede.
— Pergunta pro Messias o que ele faz lá, Júlia.
— Ele disse que eu fico lá se não fizer pergunta, tenho ele como patrão.
— Que sorte, menina! Ele te cuida feito um pai, fora o serviço sem patroa. Chegou tua hora...
— Hora do quê?
— De subir.

# 46.

Cecille e Marie sofreram com a derrota. Não trouxeram o Antônio de volta para as salas do colégio. As duas tinham a mesma idade e os mesmos problemas no fígado e na vesícula. Muito licor, pouca água. Crianças não adotadas tornavam-se funcionários ali mesmo ou iam para a pequena cidade, essa crescia com a chegada da hidrelétrica e novos moradores. Menos crianças ficavam órfãs e o colégio assumia seu papel original, alfabetizar e doutrinar. Velhinhas as duas, uma órfã já preparava o aposento da nova freira que viria de longe para a administração e o aconselhamento jesuíta, a manutenção dos propósitos morais. Tudo ao cheiro de água velha em vaso de flor, aparadores de chumbo para o vento não levar papéis, sachês encardidos nas gavetas.

A nova freira atravessou o mar num vapor e cruzou estradas até a pequena cidade. Foi recebida com chás e jantar com o padre. Geleia, confit de caça e vinho licoroso vieram na bagagem de Françoise, beirava os cinquenta. Trouxe com ela duas moças que nada falavam da língua local, expandiriam o colégio para as cidades vizinhas, o prumo que a elas foi dado ao partir do país materno.

— Há muito por fazer — suspirou Marie.

— Ora, quem a ouve achará que a cidade está perdida, que os novos não recebem orientação e que os velhos não vigiam as propriedades — defendeu Françoise.

— Não dá pra ver tudo — concluiu Cecille.

As duas se recolheram ao mesmo tempo, o padre ficou mais um quarto de hora mostrando em palavras a nova etapa de Françoise. Dias depois o padre retornou, agora para sacramentar um outro tempo para Marie e Cecille. Morreram as duas no mesmo dia, em horas distintas. Antes foi Marie, querendo mesmo não ver o cadáver de Cecille, que ficou jovem num caixão branco forrado com tecido de linho.

Geraldo acompanhou o velório e foi um dos carregadores fúnebres. Françoise lhe pediu uma hora em que pudessem falar no colégio, em particular.

— Soube que ainda trabalha com o senhor um homem que criou na fazenda.

— Nico?

— Sim, irmão de Júlia e Antônio. Tendo o senhor autoridade e sabedoria nas administrações de riquezas, em nome das irmãs falecidas, deixo em sua procuradoria a herança deixada por Marie e Cecille para Antônio, irmão de seu funcionário.

## 47.

    Timóteo cansou a vista com a imensidão, os olhos fatigados sem caber neles o tamanho das coisas. Percebeu ao longe um mexer de braços e pernas, pessoas subindo e descendo de uma escada colada a um navio. Navio encalhado, de viagem interrompida, casco novo, preto, bordas douradas. Era tanta vegetação em torno, mata vigorosa, cachoeiras pelas paredes, que o navio foi notado no segundo andar da observação.
    Olhou para trás buscando Eneido, ele vinha em sua direção.
    Foi daqui que saiu a água pro vale da Serra, esvaziaram esse pra encher lá.
    — Não, Eneido, a água chegou do outro lado, eu vi.
    — Viu coisa nenhuma. Foi daqui, Timóteo, o povo lá embaixo parou a viagem desde que a luz chegou na Serra Morena.
    — Eles moram lá dentro?
    — Por enquanto. Começaram plantação do lado de fora, tem duas velhas que sobem até aqui e falam comigo.
    — Velho não sobe isso, Eneido.
    — Do lado de cá sobe.

Eneido foi explicando tudo, comiam capivara e gambá, bebiam leite de arbusto espinhoso, espremiam flor para adoçar fruta azeda. No chão nenhum peixe morto, tudo já recolhido para esterco. Peixe e qualquer outro fruto de água salgada.

— Mas a água que foi pra lá é doce.

— Ficou doce porque atravessou a passagem, cada lado tem seu jeito, daqui é salgado, de lá é doce.

— Passagem?

— Onde a gente tá, é aqui a passagem.

— Nico veio aqui?

— Não vejo Nico desde o casamento no arraial.

Eneido deixou Timóteo na boca da caverna e foi para o fundo dela, sua casa. Tinha cavalo-marinho seco e triturado, que ele salpicava numa concha cheia de arroz cozido no calor da caverna, aos poucos. Pedaços de carne ainda com pele de bicho peludo, defumados nas toras escuras. Timóteo não se assustou com nada, era de assombro o seu estado. Pensava com que frases falaria aos amigos o que viu e mais, calculava jeito de não dizer como chegou até ali. Para voltar depois, sozinho. E ser aquele que leva as novas ao povo. Viu-se com o padre no altar da igreja, dando ele a hóstia da comunhão, sendo ele o receptáculo do divino. Vou ter respeito, seu Geraldo vai me deixar a fazenda, me caso em um mês.

# 48.

Geraldo mandou chamar Nico, e depressa.
— Vá atrás do Timóteo, você conhece o caminho.
— Não conheço, o povo fala demais.
— Conhece não? Conta pra outro, pro teu irmão abestado, pra mim não. Quem foi uma vez, sabe voltar.
— Se o senhor tem coragem, vá o senhor.
— Não fale assim comigo, te passo castigo, atentado.
Nico faltou um, dois, três, quatro dias do serviço. Ficou em casa com Maria e Antônio, que estranharam a presença dele por todas as horas. As coisas feitas no morno do tempo, de mão em mão, mão de Maria e mão de Antônio, mais a mão de Nico era demais, sobrava.
— Que deu em você? — perguntou Maria.
— Não volto mais pra fazenda.
Antônio ouviu, botou o chapéu e saiu. Embrenhou-se no milharal e voltou à noite. Andou rumo ao centro da plantação, sabia os pontos cardeais e ficava parado exatamente no meio do cultivo. Conhecia as ruas entre as fileiras de milho, as linhas da lavoura se

cruzavam com as do raciocínio. Geraldina parecia soprar as folhas antes de ele passar, um trecho curto, do pé do arbusto até o meio, altura de Antônio.

Bem no miolo havia uma pequena clareira, com um milho a menos, oratório de Antônio. Olhou para o alto, os milhos granados lá em cima, nuvem lá em cima, Geraldina sob os pés.

— Foi roçar milho maduro? — zombou Nico.

— Rocei ideia.

Antônio disse que ia falar com Tizica, que ela era mãe de Geraldo na falta da natural. Ia e voltava sem pouso na cidade, não tinha mesmo onde ficar. Ia aproveitar e conhecer o novo lugar, todos morando perto um do outro, com muro para dividir a roça pequena. Ia visitar o colégio depois de tantos anos.

— Sem você eu não dou conta, isso que foi pensar no milharal? — veio Maria.

— Rocei outra ideia, se Tizica não pode tirar isso da cabeça de Geraldo, então é ir todos pr'esse outro lado.

— Não vou atravessar o mundo com os meninos — disse Nico.

— Coragem eu tenho — completou Antônio.

— Coragem é botar a gente pra atravessar o vale? — disse Maria, saindo da sala.

Onofre correu atrás da mãe, Anésia correu atrás de Onofre.

# 49.

Antônio, Nico e Maria não saíram do lugar, nem Geraldina. O último prato secava no escorredor a lágrima sem sal da água de cisterna. A porteira rangeu, Geraldo já dentro da propriedade voltou a rangê-la, fechando-a por dentro. Nico foi recebê-lo.

— O senhor?

— Me dê pouso, menino, é o mínimo que espero da tua gratidão.

Geraldo amarrou o cavalo numa goiabeira. Antônio beliscava uma rosca, Geraldina se contorceu nas canelas dele, um pedaço caiu das mãos e foi para debaixo do banco, soltando seu pólen de trigo. Maria foi lavar os meninos na bacia e Nico deu água para o cavalo do patrão, um vício de funcionário. As botas de Geraldo relaram o piso da sala levantando poeira fina, os passos se aproximavam da cozinha e da mãe, que se inquietou.

Geraldo olhou debaixo do banco e viu uma pequena poça de água. Olhou as calças de Antônio, ver se o anão não tinha se mijado de medo ou incontinência. A poça era sua mãe, aromatizada pela canela da rosca. Ainda que não fosse um gás nobre, Geraldina tinha comportamentos excêntricos. Antônio ficou parado, botou o que restava na mão sobre a pia, perdeu a fome.

Nico veio atrás, ofereceu café ao Geraldo.

— Depois, agora vou comprar essa casa, Nico.

A voz do filho, o ar quente do corpo, botou para aquecer a pocinha a ponto de evaporá-la. Enquanto Geraldo ficou na casa, Geraldina perdeu a fórmula definida, não era um sistema fechado em presença consanguínea.

— Não vendo, pela memória de meus pais.

— Aquela casa a água levou, memória é coisa da cabeça.

Geraldo ofereceu muito dinheiro, dava uma boa casa na pequena cidade, onde a luz circunda e brilha à noite nos fios. Maria e Antônio se empolgaram, as crianças estudariam, novidade todo dia até se acostumarem a ter vizinhos tão próximos.

— Não quero sair daqui, e Júlia teria que aceitar, essa casa também é dela.

A lembrança de Júlia desanimou Geraldo. Teria que procurar por ela na grande cidade. Pousou pela Serra Morena, ele queria a casa por ter dela visão estratégica de sua propriedade.

Na manhã rosada, as galinhas em reboliço, Geraldo foi vê-las ciscar, como se já fossem dele. Viu duas velhas idênticas, mesma saia, mesma blusa, mesmo cabelo branco num coque, mãos enrugadas. Geraldo nada fez, gêmeas velhas não fariam mal a um passarinho.

— Maria! — gritou Geraldo, não para as espantar, mas para que Maria as ajudasse.

Nico ouviu Geraldo, do alpendre viu o patrão de camisa aberta, a boca flácida de espanto. Com o grito de Geraldo, as velhas correram com energia de criança pra dentro do milharal.

— Vai, Nico, pega minha espingarda.

Nico obedeceu, a arma deitada no sofá onde dormiu o dono.

— Tome! — entregou sem olhar onde Geraldo apontava.

Voltou para a cozinha, segurou Maria pelo braço e pediu silêncio ao Antônio.

Geraldo atirou para cima e depois no sentido das velhas. Ouviu um grito, as folhas se mexeram. Todos saíram da casa, Geraldo foi atrás do farfalho. Antes que ele adentrasse o verde alto saiu da plantação uma cadela pequena e peluda, andando sem muita convicção, e passou pelas pernas de Geraldo.

— O milharal tá dando cachorro — disse Antônio.

## 50.

— Alguma novidade da Maçônica?
— Nada, só tem roupa, espada e Bíblia. Certeza que é religião, mas parece cinema.
— Me leva com você, sou vivida, só de olhar vou bater o que é.

Ludéria conseguiu uma folga de Leila e foi com Júlia numa sexta-feira de serviço, dia da faxina. Foram no começo da tarde. Chegando, Júlia deu falta dos produtos de limpeza, estavam no fim. Ludéria sugeriu irem as duas ali perto comprar, depois Júlia acertava com o patrão, melhor deixar tudo ajeitado. Na volta, Júlia percebeu que havia alguém dentro da Loja. Pediu para Ludéria ficar pela rua até que a pessoa fosse embora. Era um senhor bem-vestido, calça com vinco e paletó.

— Pois não, senhorita?
— Sou da faxina, fui buscar os produtos, Messias me deu a chave.
— Ele me falou de você, entre.

Júlia correu para a cozinha e foi limpando com vagar um armário grande com dez copos em seu interior. Ouvia ruídos que denunciavam alguma ação do homem. Foi espiar indo de encontro à porta, deu de cara com o rosto do velho, que de perto tinha sobrancelhas de toldo num rosto enrugado.

— Vou indo, entregue a chave ao Messias.

— Sim, senhor.

Ela nunca entregou a chave para o Messias, ele deixava com ela por absoluta confiança. Assim que ele fechou a porta, Júlia deu uma enxaguada num pano já limpo e foi para o vitrô da frente. Viu Ludéria num ponto de ônibus distante, mas perto o suficiente para ter notado o velho indo embora. Ludéria atravessou a rua, Júlia destrancou a porta e a deixou entrar.

— Como demorou! Já passa das quatro.

— Vou fazer meu serviço, eu só enrolei.

Ludéria sentou-se nas cadeiras, nos bancos, passou a mão pelas pinturas, folheou a Bíblia.

— É religião, Júlia. Alguém deve falar dessa mesinha aqui e os outros ficam ouvindo que nem missa. Missa só de homem é esquisito.

Um barulho na porta fez Ludéria pular, as mãos levaram a Bíblia junto ao peito. O senhor viu Júlia agachada no chão e Ludéria abraçada com o livro. Júlia torceu o pano dentro do balde, a água expulsa caiu feito choro, do meio das pernas veio a urina quente, escapulida da bexiga.

— Quero as duas na rua.

## 51.

Ludéria entrou de cabeça baixa dentro do quartinho. Leila ouviu a empregada subir as escadas do sobradinho nos fundos e foi esperá-la na cozinha, ela não iria até Ludéria, Ludéria iria até ela. Leila apagou a luz e ficou sentada comendo bolacha de maisena. Em vinte minutos Ludéria desceu as escadinhas, atravessou o quintal, empurrou a porta com molas, acendeu a luz e foi direto ao filtro de barro. Leila imóvel.

— Está despedida.

O copo quebrou com metade da água dentro.

— A missa demorou, eu tô fazendo novena, dona Leila.

— Você, junto dessa ingrata, pegou a maldição daquela família.

— Senhora?

— Essa Júlia só traz chateação.

— Tenho nada que ver com Júlia, dona Leila, prome...

— Cale a boca.

No armazém, Júlia chegou e não viu Messias no caixa, correu para os fundos. Messias a esperava feito Leila, no escuro do quarto para dar veredito.

— Recebi um telefonema antes de você chegar.

— Por causa da Ludéria?

— Avisei que o emprego era bom e que eu só queria em troca a tua lealdade. Não posso mais ficar com você, Júlia.

— Ludéria só foi ver como era dentro.

— Você me deu a palavra e não cumpriu, não posso mais te manter.

Messias saiu do quartinho e botou um dinheiro em cima da cama, notas graúdas e dobradas. Júlia fez a mala, a mesma desde o orfanato. Botou o dinheiro enrolado em um pano de prato com seu nome bordado, letra infantil, dela mesma aos nove anos, ainda no colégio das francesas. Júlia Malaquias, todo torto, o nome puído de tanto ser lavado.

Encontrou Ludéria dentro da igreja, rezando ave-maria. Sentou-se ao lado, Ludéria sentiu sua presença como uma resposta da Virgem. Roçaram os dedos na água benta, desenharam a cruz no corpo e foram para a escadaria do lado de fora.

— Tô na rua por tua causa.

— Como ela soube?

— Você me deve um emprego.

— Vamos pra rodoviária?

— Mas de lá vamos pra onde?

— Ficar lá mesmo.

— Endoidou?

— Messias me deu dinheiro, a gente come. Tem lugar pra deixar nossa mala, a gente fica junto dos passageiros, andando no meio deles, até vir ideia. Lá dentro não chove. Não venta. Ninguém tira nós duas.

## 52.

Timóteo estava acordado e dormindo ao mesmo tempo. Eneido, no fundo da caverna, acendeu o fogo. O lilás solar deu matiz roxo às bordas do navio. A mata densa cobria mais da metade da embarcação. Pelo tamanho da proa o navio era grande.

— Vai pousar aqui, Timóteo?

Alguém estendeu um lençol na grade da proa, lençol branco, de casal pela largura. Uma mulher de cabelo dourado, jovem, braços finos.

— Eneido, tem gente lá embaixo.

— Para de olhar pra eles, senão eles olham pra você.

Timóteo encarou Eneido.

— E daí?

— Você aqui já tem três dias, vai dormir essa noite de novo?

— Quero saber tudo, vai que não consigo voltar.

— Agora conhece o caminho.

Um latido abafado entrou na abóbada da caverna.

— Tá com cachorro, Eneido?

— Eu não, não gosto, tem que ficar dando comida.

A cadela peluda que saiu do milharal de Nico entrou com a língua de fora, latindo mais alto, sem abanar o rabo.

— Sai, cachorro! — gritou Eneido.

Foi afastando a cadela até ela ir embora.

— Não vou ficar com o cachorro e nem com você.

— Amanhã eu tomo meu rumo.

Eneido serviu ao Timóteo uma raiz assada e cheirosa.

— Isso tem cheiro de mulher — disse Eneido.

— Por que não volta? Tua mulher, teus filhos, seu Geraldo. Todo mundo lá embaixo querendo saber de você. Eles te dão como morto.

— Não vão mais, hora que você contar que me viu.

— Ou eu conto que vi você ou conto que vi o navio. Se contar os dois vão achar que tô doido.

— Isso é.

— Quero que eles acreditem em mim, ninguém teve coragem de vir aqui, só você e eu.

— E Antônio?

— Tá ficando abestado. Falando asneira, quando Nico sumiu disse que o homem tinha caído dentro do bule.

— Júlia?

— Pegou família no colégio e nunca mais.

— Júlia é dona dessa terra toda.

— Capaz!

— Ela é filha de Geraldo.

O latido voltou, agora bem mais distante. Timóteo levantou-se até a beirada do abismo. A cadela estava na proa e abanava o rabo.

## 53.

Júlia e Ludéria deixaram as malas no guarda-volumes e procuraram assento longe do banheiro, exigência de Júlia.

— Fica passando muita gente, a roupa fica com cheiro de desinfetante.

Sentadas as duas, com bolsa de colo, as mãos pousadas sobre as coxas, um retratista tinha ali o assunto do quadro.

— Não vou conseguir, Júlia.

— O quê?

— Ficar quieta feito você, não sou gente que fica encostada.

Ludéria levantou-se e entrou no banheiro. Júlia a seguiu pelos olhos, o ponteiro fazia cair minutos, passageiros atrás de ônibus, as pessoas de sempre. Júlia reconheceu vários anônimos, meninos sem casa como elas, a mocinha do lanche, mas não viu Dinorá. Ludéria voltou agitada.

— Uma velha chique feito a Leila me pediu as horas no banheiro.

— Você deu?

— Eu não tenho — Ludéria mostrou os pulsos nus e sentou-se.

— Cê tem alguém da família pra procurar?

— Nada. Vou de família em família até me botarem na rua. Família de verdade também faz isso, tô nem aí com família. Casa de família a gente entra e sai, seja de patroa, seja de mãe. Filho que fica debaixo da saia da mãe fica aleijado das forças. Fica sobrando, depois vai dar banho na velha que não para de falar e pedir coisa o dia inteiro. Saí bem na... Júlia! Júlia, olhe ali!

— Igualzinho da outra vez — Júlia disse baixinho.

— Por isso quis vir pra rodoviária, sua danada.

Júlia sorriu com a aproximação de Messias. Ludéria calou-se e esperou entrada para perguntas.

— Fiquei tão esquentado que perdi a cabeça.

— Messias, pode falar olhando pra minha cara — pediu Ludéria.

— Você quis fuxicar minhas coisas, a vida da Júlia.

— Fuxicar a Maçônica? O que tem lá pra fuxicar? Não tem nada. Coisa sem graça, cheia de importância. Que importância tem aquilo? Responde. Botar a Júlia na rua porque me levou pra conhecer nada.

— A Ludéria não tem culpa.

— Júlia, deixa ele falar.

— Inimigo a gente tem que guardar perto pra saber o que tá fazendo.

— Messias! Inimigo, nós duas? — disse Ludéria.

— Deixe pra lá, também não te tenho mal. Voltem comigo pro armazém. Ficam as duas no quartinho.

Júlia olhou o chão, vergonha de dizer sim. Ludéria esperava a confirmação de Júlia, na decisão dela, Ludéria se assentaria.

— Vão ficar aí feito dois montes?

— Vamos? — perguntou Júlia para Ludéria.

— Melhor que a rodoviária.

— Tenho serviço pras duas, vou aumentar o armazém. Vou vender tecido, preciso de mulher entendida de retalho.

Messias seguiu as duas até o guarda-volumes, carregou sozinho as malas e ganharam a rua. Nos fundos do armazém as duas dividiram a cama de solteiro. Iam vender no balcão cetins, sarjas e algodões, linha, agulha e lã.

# 54.

Timóteo saiu da caverna de Eneido. Atravessou o cume da Serra Morena, passou diante da porteira de Nico Malaquias e não parou, foi descendo. Devagarinho, com o cavalo bem dirigido e a cadela peluda atrás dele, com lealdade de amizade antiga. Foi peneirando ideia até entrar na rotatória da pequena cidade. Já na vargem, primeira avenida larga, outros cavaleiros descascavam fumo preto e agridoce nos balcões. Viraram-se para ver chegar Timóteo, sabiam todos, ele voltava do outro lado do vale.

Seguiu pela rua principal até a igreja, tirou o chapéu e se benzeu. Apeou no coreto. Uma linha de gente o seguiu e ficou esperando discurso, a palavra, qualquer uma.

— Como é lá, rapaz?
— Tá vindo do outro lado?
— Foi mesmo, Timóteo?
— Viu o Eneido?
— Lá tá chovendo?
— Tem o que comer?
— Tem casa?

— E roça?

— O povo é que nem a gente?

— Trouxe alguma coisa pra ver?

— Tá até mais bonito!

Timóteo não dava conta de responder. Parou de falar e ouvia pergunta por pergunta, a fim de juntar as respostas numa só, numa só prosa, única e arrebatadora.

— Tá ficando igual Nico, caladão olhando pra gente.

— Tem bicho? Cavalo? Esse cachorro veio junto?

— Falam igual a gente?

As pessoas engrossavam círculo em volta do coreto, as primeiras esferas já não perguntavam mais, as esferas que se aproximavam repetiam as primeiras. O padre, homem jovem e viril, atravessou a massa de gente com a permissão da autoridade. A cadela estava no coreto, ao lado das pernas de Timóteo. Reto, o olhar da cachorra via pares de olhos procurando Timóteo acima dela.

— Menino, se você tem algo a dizer, que diga agora e com o testemunho da igreja.

Timóteo deu dois passos à frente, encostou a barriga na mureta, tirou o chapéu e cobriu uma das mãos com ele.

— Conheci o outro lado, minha gente. Tô chegando de lá. Vi Eneido, ele vive numa caverna e come bicho de água salgada. Lá tem mar, uma gente atolada num barco bonito, com dourado de igreja, deve ser gente cristã. Não vi padre nem fazendeiro. Vi uma gente branquela, cabelo vermelho, bem amarelinho, parecia milharal maduro, espiga de gente esquisita. Agora sei o que vai ser da gente. Vamos voltar a ficar sem luz, viver do jeito que era antes. A água da represa vai voltar, que é pro barco seguir a viagem dos espigas de milho.

— O rapaz endoidou, Lucilene, vam'bora — disse uma mãe à filha.

— Ficou xarope, vai morar no coreto, quer apostar? — desafiou um comerciante.

Eneido, na caverna, socava amendoim em um pilão de pedra. Passava os dedos na pasta oleosa e lambia duas falanges de uma vez. As velhas gêmeas batiam sabão no meio da caverna, lugar do aquecimento da casa. Uma mexia em sentido horário, a outra descansava. Outra vinha, mexia no sentido anti-horário, a outra descansava. Assim, bolotas de sebo e cheiro animal foram se empilhando dentro de um cesto.

— O rapaz não volta mais, certeza — disse Eneido com um dedo dentro da boca.

— Melhor não contar com isso — disse uma.

— Deixa vir, depois vê — disse outra.

— O cachorro seguiu ele, deve tá cansado essa hora — revelou Eneido.

— Cachorro segue bando, gosta de boiada — disse uma.

## 55.

Geraldo estava de leito havia dias. Respirando pouco, pé inchado, voz raleando. Sentia peso nas cadeiras, peso no peito. O coração era maior que o pé, inchaço maior, artéria larga para pouca seiva. A casca toda seca, rachadura nas solas, na nuca, no cotovelo. Tizica, velhinha de pele fina feito biju, agridoce no hálito.

— Geraldo, capaz de você ir e me deixar, não morro mais.
— Pega água pra mim, Tizica. Ande! — grunhiu Geraldo.

Tizica foi buscar. Não deixou que a moça, enfermeira de casa, fosse ligeira até a cozinha. Ia ela, Tizica, obedecer por gosto a ordem de Geraldo. Lenta, o sol das janelas varrendo as tábuas de madeira, a canela fina interrompendo a luz. A casa na cidade era tão grande quanto a sede da fazenda Rio Claro. Tizica pegou copo de alumínio, encheu com água da moringa. O rádio da cozinha falava sozinho, tocando propaganda de leite de magnésia. Voltou na velocidade que foi, as canelas cortando a luz dois graus mais baixa que na ida. Entrou no quarto, a enfermeira batendo com as duas mãos cruzadas o peito de Geraldo, os braços dele pendidos pela beirada da cama. O sentido dos pés opostos, direita e esquerda, cada um apontando o seu. O copo caiu no chão, a água pousou na madeira encerada, foi roliça atrás de um sulco pra se esconder e alcançou o pé da cama, onde se dividiu em filetes. Tizica caiu. A enfermeira deixou o corpo de Geraldo e levantou Tizica, fraquinha.

— Pega meu copo — ordenou Tizica.
— A senhora precisa deitar.

O corpo de Geraldo foi velado no cemitério da nova e pequena cidade. O túmulo dele foi um dos primeiros. Tizica pediu que ficasse perto do portão de entrada, assim ela podia ver, quando passasse pela rua, a ponta da derradeira cama do patrão, sem que para isso precisasse entrar no jardim dos mortos. Não foi ao enterro, acompanhado por Timóteo na dianteira do caixão. Tizica teve um sono de raiz, sedada com injeções de agulha grossa. Dormiu e acordou senil. Geraldo teve enterro anunciado pelos sinos da igreja. Nico compareceu, rezou e não chorou.

# 56.

Geraldo morreu, Geraldina soube pelas conversas. Antônio não foi ao enterro, Maria não permitiu. Não ia deixar as coisas, fechar a casa, levar os meninos à cidade para coisa triste, sem cabimento viagem tão grande sem pouso, dormir onde?

Saber não alterou Geraldina. A distância entre ela e Geraldo, no físico, era a mesma que entre ela e o abajur do quarto de uma egípcia. Ligação química só com a proximidade, se viesse um encontro não haveria mais choque, só as formigações que se veem numa lupa mais potente. Enrodilhada aos pés de Antônio, manteve-se digna e rala.

# 57.

Françoise, francesa delicada do colégio, ofereceu um aposento para que Tizica ficasse até o fim da vida. Foi ficando, terminando de se gastar. Dormindo e ficando. Um dia não acordou e no outro foi para um jazigo, longe de Geraldo, nos fundos, rente ao muro, sem flores, sem foto. No mesmo dia a vida era a mesma nas ruas, no comércio. Especulavam com quem ficaria a fortuna de Geraldo, homem ruim e sem herdeiros. Timóteo foi chamado ao colégio pela irmã Françoise.

— Marie e Cecille deixaram herança para Antônio Malaquias. Eu mesma dei a notícia ao Geraldo Passos, na ocasião. Ao que me informou um bacharel de direito, ele não repassou a herança ao seu agraciado. Nunca desconfiei porque Geraldo deixou sob minha administração parte de sua fortuna. Sem herdeiros, vi nessa atitude uma confiança em que não pude duvidar honestidade. Ele não mexeu na herança de Antônio, mas também não entregou a ele. Fato é que hoje abrimos seu testamento.

— Eu tô? — perguntou ansioso.

— Está, Timóteo. É teu direito o que vier das próximas colheitas de café. Terá direito aos frutos e lucros da fazenda Rio Claro por vinte anos.

— Deixou a fazenda!

Timóteo levantou-se da cadeira, da leseira em estar sob as palavras da freira de fala lenta e formal. Queria uma confirmação direta, frente a frente.

— A fazenda é minha, dona França?

— Franço-a-se, Timóteo. Não, só o usufruto por vinte anos da renda que vier da agricultura. A fazenda Rio Claro, a sede, as criações, móveis e direito de venda ficam para Moara dos Santos.

— Qual?

— Mulher de meretrício que ele sustentou enquanto viveu. O que é seu será parte dos lucros por vinte anos.

Timóteo foi até à casa de Nico.

— Antônio tá rico.

— Antônio não vai querer nada do colégio — disse Nico.

— Quero sim, nem que seja um pente, a Maria ia querer a cômoda — disse Antônio.

— Vou com você pegar, Antônio, é no banco, dinheiro pra muita coisa — ofereceu-se Timóteo.

Antônio não conseguia cumplicidade com Nico.

— Vou pegar, o que é que tem?

— Elas mandaram Júlia pra longe da gente — respondeu Nico.

— Agora que fica bom, com esse dinheiro a gente viaja atrás da Júlia.

Nico se iluminou. Timóteo viu nisso abertura para negócios.

— Geraldo foi ruim até pra morrer. Deixou tudo pra Moara, ordinária que ele encontrava lá na tua casa antiga. Deixou pra mim o direito de roçar por vinte anos. Vamos fazer um rolo nas terras, Nico?

Maria ouvia do quarto, enquanto Onofre e Anésia corriam no

terreiro. Maria se engasgou com o nome Moara, mulher que é da vida e ainda ganha herança, a sorte da moça, a sorte de Antônio.

Timóteo correu até à fazenda, falou com os criados, botou mulher nova no lugar de Tizica. Ia trabalhar o cafezal com Nico. Do trabalho, Timóteo ficaria com sessenta por cento. Cinquenta do roçado, dez do direito que se deu. Para Nico era chance de expansão, de trabalho farto, viver em terra extensa sem patrão, sem Geraldo.

Moara recebeu a notícia por Timóteo e um advogado, senhor de idade, amigo antigo da família Passos. Não teve expressão alterada com a notícia das terras.

— Não vou conviver com essa gente e dividir meu lucro com eles.

— Meu lucro é por vinte anos, a senhora vai ter aquilo a vida toda — interrompeu Timóteo.

— Vá à merda, caipira analfabeto!

— A senhora se acalme — pediu o advogado.

Moara, conforme o advogado mostrava seus direitos, foi dilatando a paciência. Não entendia a divisão, dessem outra coisa para Timóteo. Ganharam os dois a convivência como herança. Afirmou que se mudaria para a sede, antes que os caipiras botassem as famílias lá. Levaria suas meninas, ela agora cafetina conhecida e de respeito, receptuária da maior fortuna da região. Ia abrir bordel na sede, Bordel Moarão. Assim não ia ter católico que ficasse pelas bandas, ao menos durante o dia. A profissão ia garantir a manutenção da propriedade. E que nada, além do café, sairia dali. Nem um grão e nem um dia a mais do prazo do benefício.

— Herança besta.

## 58.

Nico se preparava para ir à fazenda, Maria engrossava angu no fogão, Antônio procurava um chapéu, estava indeciso entre os dois que pendurou na parede. A próxima colheita estava para iniciar, Nico se empolgou como há tempos não se via.

— Fica nessa animação, o dia inteiro lá com as donas — rosnou Maria.

— A gente nem entra na sede — irritou-se Nico.

— O Timóteo entra, mas é homem solteiro como eu — sorriu Antônio.

— Tá entrando também? — perguntou Maria.

— Nico não deixa, acha ruim até eu passar o olho no terreiro das muié.

Antônio ficou aceso, saber que mulheres riam pelo terreiro durante o dia, tomando sol com as saias acima do joelho. Algumas usavam sombrinha de renda mesmo debaixo de abacateiro. Achava bonito, sentava-se perto do pomar, de lá ouvia os sons femininos, o ruído de casa, ânimos empolgados. Nunca viu outro homem rondar, senão os trabalhadores do campo. Homem dentro da casa, só à noite. Nico dava tarefas para Antônio, mas acabava deixando o irmão se distrair com as belezas que, para Nico, nada diziam além de qualquer pé de mexerica. Sabia que era bom, mas existia porque tinha que existir. Timóteo almoçava lá dentro, os outros comiam o mesmo, mas no campo. A mulher que ficou no lugar de Tizica levava os pratos embrulhados em pano.

— Tá na hora, Antônio, depressa — gritou Nico.

Antônio ainda não tinha escolhido qual chapéu usar. Eles ouviram palmas do lado de fora.

— Maria, tem alguém na porteira, vá ver! A gente vai descendo por baixo pra ir mais rápido.

Antônio e Nico saíam pela porta da cozinha. Maria, na sala, deparou com Eneido na soleira. Roupas gastas, cabelo comprido, barba de anos por fazer, olhos brilhantes. Maria gritou:

— Nico, ele voltou.

— Eneido?

Antônio veio atrás, estacou como se a visita fosse um padre ou autoridade.

— Faz café pra ele, Maria — pediu Nico.

— Vim só dar um recado, tô vindo do outro lado do vale, moro lá.

Nico sabia dos causos que havia contado Timóteo no coreto. Não deu opinião, Maria e Antônio não acharam nisso doidura, mas mentira de rapaz de vaidade. Timóteo tinha charme e ambição, uma coisa vem da outra.

— O povo não acreditou, eu também não — disse Nico.

— O Geraldo morreu, Eneido. Nico, Antônio e Timóteo agora cuidam do cafezal — disse Maria.

— É direito de Antônio e Nico na falta de Júlia. Falei pro Timóteo há tempo, antes do Geraldo morrer.

— Cê pousa aqui, Eneido, a gente vai pra fazenda, na volta

a gente conversa — Antônio disse com pressa, foi botando o chapéu na cabeça, querendo rumar saída.

— Por que não moram na Rio Claro?

— A fazenda não é nossa, tem uma amiga de seu Geraldo que mora lá, virou a dona.

— Júlia é herdeira da Rio Claro.

Maria riu, Nico e Antônio ficaram impacientes.

— Na volta a gente proseia, Eneido — despediu-se Nico.

— Geraldo é pai de Júlia, menino. Tua mãe foi mulher dele escondido, eu até ajudava esconder a mando de Geraldo. Deixe de ser besta, Malaquias!

Geraldina aqueceu-se, Antônio transpirou, Maria sentou-se, Nico também. Eneido foi contando o que sabia da época em que trabalhava na fazenda, da relação de Donana Malaquias com Geraldo Passos. Da certeza de Donana que a filha caçula era de Geraldo, da confissão dela no dia em que benzeu espinha da filha de Eneido. Ele, que tentou se aproximar dela, na esperança de ter nela mulher, como Geraldo. Mulher séria de rosto, solta de corpo. Da rejeição de Donana ao Eneido, mesmo ele sabendo do caso dela com o patrão. Nem com ameaça de Eneido ela cedeu, dizendo ela que foi amor de bicho, sem juízo e nunca mais ia ter outro. Que mais fiel que ela a Adolfo nem os cachorros.

— Geraldo, pai da Júlia — afirmou Maria.

— Geraldo, pai da Júlia — confirmou Eneido.

— Por que deixou tudo pras quengas? Não tá vendo a filha?

— Ele morreu sem saber, Maria, te garanto.

— Fosse eu o filho, Geraldo ia ter vergonha de mim, baixo desse jeito — disse Antônio.

— Tenho que ir embora.

— Derruba a gente e vai embora — disse Nico.

— Ainda nem dei o recado.

Eneido disse que saiu do outro lado do vale só por eles. Dizer que o povo do navio se preparava para navegar outra vez, que a água da represa ia retornar ao seu lugar de origem e a embarcação ia desencalhar.

Maria e Antônio estavam lentos na assimilação. Nico propôs que eles se mudassem para o navio e seguissem viagem com ele.

— Nico, quando cê sumiu, era lá? — perguntou Maria.

Eneido sorriu.

— Se fosse eu teria visto, sou o zelador da passagem.

## 59.

Júlia e Ludéria agradeceram o dia em que puseram os pés na Loja Maçônica. Desde então a vida era outra. Ludéria não conhecia patrão que fosse amigo, falasse as mesmas coisas, gostasse da mesma comida. Júlia estava inebriada, mostrava os dentes o dia inteiro. Messias tinha muito gosto das duas no balcão. Missa e balcão a vida delas. A freguesia se tornava fiel, Júlia dava ideias para os vestidos, Ludéria para as bainhas italianas nas calças de linho, pences nas saias longas. Júlia não gostava de botão, nem da palavra, quanto menos pegá-los nas mãos.

— Deixa de bobagem, Júlia, é um botão.
— Nem fale o nome.
— Como vai vender sem falar?
— Você fica com eles, eu com as agulhas.

Ludéria se fazia compreensiva por gratidão, num golpe só se livrou de Leila e da pia.

— Aqui eu vejo pano diferente toda vez que Messias volta da fábrica com lote novo. Lá na casa o varal tinha sempre a mesma estampa.

Ludéria sabia costura, mas não tinha mão. Ensinou a Júlia consertos, depois copiar roupas de olhadela. Com o ordenado, pegava mais barato os tecidos que menos saíam. Ludéria tinha uma revista de atrizes de cinema, um só exemplar, pegou no lixo de Leila. Atrizes de olho esmeralda, cintura fina, cetim preto. Júlia copiou um vestido de gala com algodão vagabundo. Ela mesma usava no balcão. No começo, acharam que era devota demais usando vestido comprido em dia quente. Ela respondia que com algodão não tinha problema e era agradável ter o corpo coberto, sem encheção de homem olhando. Começaram as encomendas, as colegas da igreja gostaram do recato, apesar da cintura marcada. Júlia fazia modelos para missas. Missa das seis, missa das nove, missa das dez, missa de quarta, missa de domingo. Para cada hora, um tom, um viés. Messias se empolgou e aumentou o comércio deixando o armarinho independente do armazém.

— Tá ficando sério, não vamos misturar lata de sardinha com renda.

Botou provadores e uma arara com modelos para encomenda. Prosperidade. Leila soube do armarinho por acaso. Ela mesma passou de carro com motorista, sentada atrás, viu as duas atendendo. Quis ver com curiosidade sem importância.

A única modista do bairro ascendeu. Com anúncio no mural da igreja e no próprio armazém de Messias, Júlia recebeu encomenda de outros bairros. Não mais atendia, Ludéria precisou de outra moça para ajudar. Júlia tomou conta de um quartinho de mantimentos do armazém, botou máquina, prateleiras com as fazendas, caixas de papelão com botões em que escreveu "moradores" do lado de fora.

— Moradores — leu Ludéria.

— Essa arruela existe pra entrar nas casas, não é? Moradores. Moradores de pérola, moradores transparentes, moradores de avental, moradores de uniforme escolar, vermelhos, brancos, pretos, toda cor e bitola.

— Júlia, vou anunciar no jornal, você dá conta?
— Dou sim. Ludéria me ajuda no corte.

Messias anunciou num jornal de grande circulação: "Júlia Malaquias, a modista da cidade. Só com hora marcada". Ludéria passava horas atendendo telefone, confirmando o endereço e agendando os horários. Vinham mulheres de toda parte. Estranhavam na chegada ver um armazém ao lado, mesmo que distinto. Marcar hora dava certa dignidade, quase luxo à palavra "modista". Tudo se encaixava tão logo as clientes recebiam os vestidos. Júlia engordou, ficou mais calma, a máquina passando pelo algodão macio, cetim, seda. O ronronar da costura indo e vindo, cosendo.

— Sou Dinorá, marquei hora com Júlia Malaquias.

Ludéria encaminhou Dinorá até o quartinho-ateliê.

Júlia teve tontura ao deparar com Dinorá, sua colega de rodoviária e banheiro.

— Desconfiei que era você, vim fazer saia, a igreja exige.

Júlia desconhecia a fé obediente de Dinorá, usar saia porque o padre pedia. O olhar de Dinorá era de inspeção, talvez procurando o bebê que ela mesma tinha entregado à polícia. Lembrou-se de ver Dinorá conversar com a ladra de bebês. Não sabia muito sobre ela, apenas que a esfriou de um dia para o outro, sem mais aquela. Do nada para nada.

Agora ali, estacada, querendo uma saia.

— Emprego bom, não sabia que costurava.

Ludéria ficou por ali, estranhando a intimidade.

— Nem eu sabia, como estão os filhos?

— Fazendo bico por aí, estão sem emprego. O mais novo que viu o anúncio.

Dinorá saiu com as medidas anotadas, Júlia com agonia nas têmporas, pressão ocular.

— Não gostei dela, Júlia, pesada — disse Ludéria.

Ludéria estava pronta para a missa das seis, sapatos novos e pressa. Apressou a toalete de Júlia, apanhar-se no talco, numa boa roupa que era a propaganda da modista. Júlia ficou impecável, saíram as duas pelo corredor lateral, Messias fumava na porta do armazém.

— Essa casa ficou num entra e sai, vamos pensar um jeito melhor de atender, alguém pra servir chá.

Messias via as costuras ascenderem mais rápido que o armazém. Pensou em vender artigos mais caros e finos, já que a clientela de Júlia também se interessaria por perfumes, que acompanhariam as roupas sob medida.

— A gente volta já — disse Ludéria pegando Júlia pelo braço.

Uma gota larga caiu no rosto, outra escorreu pelas costas, outra nas canelas molhando as meias. Chuva, trovoada.

— Vamos, se a gente correr, chegamos antes dela.

Júlia livrou-se dos braços de Ludéria e correu. Foi para o quarto, tirou a roupa, botou camisola. Ludéria foi à missa. Na ida não se molhou tanto, mas chegou com a roupa pesada e mais escura no corpo. No quarto uma goteira fazia percussão numa lata de leite em pó. Júlia enrolada debaixo de coberta, suando, o rosto sem sangue.

— Você tá queimando.

Ludéria tirou a coberta e viu mancha rubra na camisola, na altura do ventre.

## 60.

Eneido deixou os três numa salmoura, desconforto que ficou por horas, dias. Nico ia sozinho à fazenda, Maria não se importou, a apatia dele era a segurança dela, daquele jeito ninguém podia pensar em mulher. A mãe dele, Donana, amante de Geraldo. Júlia, meia-irmã.

— A mãe apaixonou nele.
— Deve ter sido obrigada.
— Era tão braba a mãe, deixar Geraldo…
— Júlia é dona da fazenda e não sabe, tinha pai e foi pro orfanato.
— Júlia tem que voltar e pegar a vida dela.

A traição da mãe, o amor de Donana, picotou a euforia que a bonança de Júlia podia trazer. No íntimo, era preferível que Júlia mesmo estivesse longe, não ver nela um traço de Geraldo no lugar de Adolfo. Antônio sentia mais constrangimento que Nico, este, criado pelo patrão, tinha nele um pouco de consideração, sofreu foi pela notícia, que se demorou demais.

Antônio foi pra debaixo do abacateiro, sombra de raio largo.

Esticou as pernas curtas, apoiou-se na madeira pulsante da frutífera, Geraldina se esticava na sombra. Geraldo não saía da cabeça de Antônio, rosto que ele tinha mais lembrança que da mãe. Tizica teria cuidado de Júlia, Geraldo não ia sentar a mão nela, moça tem mais proteção, homem tem dó de menina.

    Calor sem vento debaixo do abacateiro, as folhas em seus lugares, teia brilhante de aranha. Geraldina se tremeu inteira, só ela, Antônio sentiu nada, Geraldina não estava colada nele. Um abacate maduro caiu no meio de tantos outros, lama verde e oleosa. Antônio ouviu um chiado, mas nada que ele pudesse alinhavar, dar sentido. Chiado como um rádio que emitisse ao longe, a vibração se estabilizou, depois estancou na média e baixa frequência, segundos em um estado, segundos em outro. Era radiação de ultrassom emitida pelo navio do outro lado do vale, até que leve, levando em consideração o porte da navegação.

# 61.

Nico, ainda que na letargia rural, voltou à lucidez como água que se assenta depois da queda. As crianças já andando, quase idade de escola, podiam viajar. Antônio, ele, Maria e os filhos podiam procurar Júlia.

— Pra quê, Nico?

Maria não via razão em sair desembestado todo mundo, fechar casa, atravessar o mundo por causa de uma pessoa só.

— A gente não conhece, capaz de perder um do outro, daí é mais trabalho.

Maria costurava uma colcha de retalhos, losangos floridos, riscados, o que sobrasse das roupas que ela também fazia. Era colcha para os meninos. Antônio tomando sopa de fubá ouviu a conversa, gritou da cozinha.

— Vai nós dois, Nico.

Nico fez contas, multiplicou, somou, tirou um tanto.

— Não deixo Maria sozinha, vai todo mundo. Ou você fica com ela e vou eu.

Maria deu dois pontos e concluiu o mosaico. Antônio lavou

a tigela. Dormiram fácil, cansaço do dia que foi, mais o cansaço do dia que vinha. A manhã úmida, o cabelo de Anésia armado, crespo, saindo das marias-chiquinhas, um chamuscado loiro. Anésia era o Nico escrito. Onofre, a Maria. Antônio passava o café, Nico esperava. Maria e Onofre ainda na cama, Anésia arrastava um chinelo e uma fronha.

Nico abriu uma janela, uma era suficiente para clarear sem entrar a friagem do sereno.

— A água secou — disse Nico mantendo os cotovelos para fora da janela.

— Com esse cheiro de água? Choveu esses dias.

— Antônio, a água sumiu!

Antônio deixou o coador escorrendo café, subiu no banco rente à janela. Os dois de costas para Anésia, que riu com o que parecia uma brincadeira, os dois muito parados, olhando para a frente.

— A firma da luz usou a água toda.

— Antônio, não tem nada lá embaixo, pra onde foi a água da gente?

— De certo os homens da luz dão tratamento nela, e agora mesmo traz de volta.

— A gente dormiu com água lá embaixo, acordou assim, voltou tudo como era antes.

Geraldina não teve reação e Maria olhou a secura como olhasse o milharal.

— Ah! Fica assim mesmo.

Nico calado, Antônio especulava.

— Nossa água vem da cachoeira, pra nós tanto faz.

A lama tinha peixes jazendo, outros no último debate. Brilhavam, as escamas com o sol direto nelas, centenas de lantejoulas no chão. A casinha no alto da Serra Morena, perto das rochas, não teve alteração nem sacrifício naquela mudança de estado. Um barulho na porteira, cascos de cavalo, Timóteo.

— Nico, vamos atrás de Eneido, ele deve saber cadê a água.
— Não posso, tenho que buscar a Júlia.
— Antes tem que ver o que vai ser de nós — disse Timóteo.

Nico seguiu Timóteo para o outro lado do vale. Os cavalos apreensivos, a cadela peluda na frente, abanando o rabo. A caverna do mesmo jeito, Eneido do mesmo jeito. Sentado, olhando em frente.

— Mora aqui desde que a luz foi pra lá?
— Foi.

Timóteo estava na beira da caverna, no precipício. Eneido notou o reparo de Nico espiando o teto, as cuias de cozinha, o pote com cavalo-marinho seco.

— Que bicho é esse?
— Cavalo de água, ele fica pequeno desse jeito.
— Encolhe?
— Capaz de encolher. Vá onde está o Timóteo.

Nico foi se aproximando, Timóteo virou-se e pediu silêncio com o dedo. Nico foi chegando até a beira. Tudo coberto por mar, o navio ancorado ao longe, pequenas ondas batendo nas rochas, na base da caverna.

— Isso que é mar?

Eneido confirmou, botando cavalo-marinho seco sobre caldo de mandioca. Deu para a cadela.

— É ele mesmo, faz barulho, é um vento que passa por baixo. No rio é correnteza, no mar é o jeito de contar o tempo, cada onda é um minuto.

Nico agachou-se.

— Essa água veio da represa, Eneido?
— Veio não, voltou. Lá não era o lugar dela.
— E aquilo na frente?
— O navio? Estão quase prontos pra sair, vão pro mar aberto.
— O mar abre?

— Pra quem está a bordo.

Na Serra Morena, Maria e Antônio terminavam de cozinhar frango com quiabo, a baba do legume lubrificando as juntas, a língua. Lá embaixo, os peixes sem balançar o brilho. O sol baixava devagar até o topo da Serra, era só tocá-la para escorregar atrás dela, feito os dentes no quiabo.

— Eles voltam rapidinho, não vão deixar a fazenda com as muié.

— Agora ficam atrás desse Eneido, aquilo nunca foi decente, morando feito bicho nesses matos.

Os dois ajeitaram Anésia e Onofre nas camas pequenas. Foram à cozinha, tampar as bocas do fogão a lenha com chapa de ferro.

— Vou acender o lampião — disse Maria.

Com os braços esticados para alcançar as folhas da janela, viu a pequena cidade no escuro. Sem a água, a cidade não tinha luz. Maria nem acendeu o lampião.

— Negócio é dormir, amanhã a gente vê.

## 62.

Júlia sofreu uma hemorragia, levada ao hospital por Messias, teve a notícia da gravidez. Era de Messias, ele soube pela enfermeira. Ludéria não escondia o espanto, não dizendo palavra ao lado do patrão. Júlia dormia o sono dos construtores de pirâmides, acordou com Messias alisando sua mão.

— Ludéria?

— Ficou no armarinho... tem gente aí dentro...

Júlia apertou a mão dele. Messias abraçou a mãe promissora, mulher de casa que faz serviço para dentro do lar. Perdoada no único deslize, a curiosidade da amiga saciada, porque saciaria a fome, se fosse. Era sinal de lealdade e cumplicidade, não com ele, com Ludéria. Com ele era caso de alguns meses até que a confiança nascesse. A hemorragia não afetou a criança de três meses, não puderam achar causa na sangria, mas que tomassem cuidado, era chance de uma resistência do feto a nascer.

A barriga foi enchendo, esticando tecidos de malha. Ludéria fazia a maior parte das encomendas, a freguesia não notou diferença. Os cortes ainda eram de Júlia, das revistas. Messias contratou outra funcionária, essa ficava no lugar de Ludéria, vendendo aviamentos. Júlia agora copiava moldes alargando as cinturas, para grávidas. Messias anunciou no armazém a nova especialidade de Júlia Malaquias, casaquinhos de menino, casaquinhos de menina, chapéu com fita, gorro liso, manta. Tomava sol de manhã sentada na praça ao lado da igreja, aproveitava a sessão das oito para comungar, confessar. O padre disse que sua condição era a de uma santa, que isso fazia dela não mais uma simples carne, mas uma capela de oração.

A freguesia levou presentes, chupeta, fralda, roupa, banheira. Messias aumentou os fundos, fez do quartinho um sobrado, no futuro ia botar mais uma escada e seria um predinho de três andares. Teriam mais meninos se fosse da vontade do alto. Ludéria se encantava com a relação calada e firme dos dois. A segurança que Messias dava, a convivência amorosa em absoluto segredo deu em Ludéria ideia mais adulta de Júlia, a fêmea madura, pronta para sacolejar os galhos até os frutos tombarem no chão.

Casaram-se no civil, sem que ninguém comentasse a razão. Data marcada no cartório, a barriga alargando pence. O peso deixou Júlia uma pata, a dignidade conferida pela espera da forma natural de nascer sem se opor ao assustador grito seminal. Isso dava seriedade ao comércio de Messias, o armazém a cada dia mais bem frequentado. Senhores e senhoras distintas, agora Júlia, senhora Messias, se casaria em cerimônia na Loja Maçônica. Depois que o bebê chegasse ao berço, a criança ainda receberia a bênção na pia batismal romana, condição de Júlia.

# 63.

A cidade estava sem luz, Geraldina depois que recebeu o sinal do navio ficou de matéria ainda mais grácil, taquariça, parca. As canelas de Antônio a percebiam feito coceira de pernilongo, ele dava palmadas, e por causa delas esquentavam os átomos de sua configuração.

Geraldo, de carne já líquida dentro do caixão, tinha o corpo concorrido por colônias de bactérias. Debaixo da terra a nutrição se fazendo à exaustão dos ossos, que, pudessem, morariam em outra câmara escura, com menos acontecimentos. Do próprio corpo é que saíam as colônias famintas. De dentro para fora, o final de Geraldo. Desprendendo-se das extremidades para o centro, não sentia o odor da transformação, mas ouvia seus ruídos ínfimos. De tantas em tantas, sabia de sua existência ser tragada pela madeira porosa e o contato com a própria terra. Até que a absorção se fez completa e Geraldo passou a ser húmus. De tantas em tantas descia ainda mais, sua proporção inteira desceu até encontrar o lençol freático mais à flor.

Geraldo se coagulou na água subterrânea, último estágio pelo qual sua substância atravessou os funis da putrefação. De ligações iônicas precisas, adicionou-se aos sais da água que passaria ao longo da cidade. Numa rota arcaica, sem molhar pés humanos, tampouco a raiz de um bambuzal. O lençol se engrossava, encontrando outros mais finos, servindo de nutrição às roseiras das senhoras, saindo dos limites dos quintais da pequena cidade até chegar à propriedade de Nico. Só passar, e de passagem o lençol deu fonte à cisterna da casa. Onde Antônio foi, como em tantas outras, erguer a água do balde. Como Geraldo ainda não tinha o elo com as enzimas, nem ligação exata com a água, ele não se diluiu. Estava insolúvel na água de origem rochosa, de tal maneira que Geraldo não era o poço, mas estava nele. Antônio capturou-o pelo balde sem saber.

Antônio despejou a água na parte superior do filtro de barro, Geraldo não chegava a ter o diâmetro das impurezas e desceu para o compartimento potável. Horas depois foi para um copo de vidro, Antônio bebeu Geraldo.

Em algumas horas, o suor de Antônio gotejava na nuca, onde Geraldina se acomodava entre uma dobra e outra de pele, feito colônia de ácaro em travesseiro.

Geraldo se aqueceu no corpo de Antônio e foi eliminado, na décima gota de suor estava o filho de Geraldina. A mão de Antônio, que foi limpar o suor da nuca, a coceira, rompeu a película da bolha. E entre Geraldina e Geraldo sobrou nenhuma diferença, mistura de água com água, dividiram o mesmo veículo. Os dois unidos no suor condutor, na ponta dos dedos de Antônio. Com um gesto de repulsa, mandou longe os dois, soltos pelo ar dançaram mãe e filho.

O pouso se deu no chão. Maria Malaquias voltou do terreiro, tinha ido recolher a roupa seca. Antônio deitou-se no sofá, deu sono.

# 64.

Nico estava exaurido, envelhecido até, voltando da guerra finda. Sonhou com os pais, ambos num carro de boi levando pela estrada uma colheita de trigo, abanavam a mão, ele respondia, acordou resoluto.

— Maria, ajeita os meninos, a gente vai embora.

— Pra onde?

— Pro navio, Eneido conhece o pessoal, vai pedir pro capitão esperar a gente.

Maria continuou a ensaboar uma camisa no tanque, Nico ao lado.

— A viagem é segura, promessa do Eneido.

— Vá você, Nico, não boto menino meu em lugar que sai andando.

— Se a gente não for agora, é pior. Não é sempre que um navio tão grande segue viagem.

Antônio se aproximou da prosa.

— Isso é conversa dele, e a fazenda? Vai deixar Timóteo com tudo?

— Timóteo vai também.
— Até Timóteo? — Maria parou de ensaboar.
— O que tem lá? — veio Antônio.
— O navio tem beirada de ouro, é maior do que essa cidade aí embaixo, é coisa de outro mundo, de regalar a cabeça da gente. Quando fui de faltar confiança, Maria?
— Gosto de teimar.
Nico abraçou Maria.
— E Júlia?
— A gente vai encontrar ela no porto, Antônio.

Não importava o que ele falava, mas a firmeza da voz, da palavra. Dissesse o que dissesse Nico, sua autoridade se manifestava pela constância dos atos diários, sem falta. Antônio e Maria tinham nele o leme. Não se dirige um leme com duas pessoas, entre Maria e Antônio, ficava a cargo de Nico o rumo dos dois.

Maria foi encaixotando as coisas de cama, de cozinha, guardou roupas num baú. Anésia e Onofre usavam sapatos de couro com estrias brancas de tanto uso, iriam com eles, o couro amaciado para andar. Antônio ia levando caixa com dois chapéus, um para seguir, outro para chegar ao porto. Nico fez matula de comida à base de farinha, carne conservada na lata de gordura, goiabada para Eneido.

Encontrariam Timóteo na caverna. Nos detalhes, Nico prometeu que era chegar e embarcar, tudo ajeitado por Eneido na véspera. Que ia ter marinheiro esperando num bote ancorado na frente da caverna. Que havia trilha até o bote, que coisa dessa acontece de tempos em tempos. Uma leva de gente sempre segue, sempre tem marinheiro para ajudar idoso e criança a entrar no barquinho, Eneido explicou.

Seguiram devagar pelo dorso da Serra Morena, saíram cedo, estariam até o meio do dia na caverna, isso se os meninos empacassem. Se não, bem antes.

# 65.

Geraldina e Geraldo iam no fundo do chapéu de Antônio, mais perto do sol que do cabelo. Os meninos levados no colo, ora no chão, cansaram-se. Para Maria e Antônio ainda havia o que conhecer. Na entrada lateral da caverna, Eneido esperava com um sofá feito de madeira e palhas secas. Num canto folhas de palmeiras imperiais faziam camas, sobre as palmas, colchas de sisal, espaço para todos num pouso. Mais panelas, um fogão a lenha recém-construído. Lenha empilhada, chão varrido e umedecido para baixar poeira, babosa plantada dentro de uma lata de óleo. Nico estacou. Maria, Anésia, Onofre e Antônio sentiam a brisa, alargavam as narinas. A pressão sanguínea alterada em Maria, oscilando humor.

— É aqui?

— Entra e não deixa os meninos irem pra beira, isso tem mais de trinta metros.

Maria segurou o casal de filhos pelos ombrinhos. Nico foi indo para a beira, o navio no mesmo lugar, perto do horizonte. Estranhou a lonjura, não viu bote nem marinheiro.

— Maria, tem almoço.

— Depois, Eneido, a gente enjoa com carro de boi, que dirá num barco.

Eneido ofereceu o sofá a Maria, zonza, se acomodou nele. Anésia levantou os pés para ver o que tinha no fogão a lenha, torta de frango assada numa vasilha de barro, curau e bule com café. Onofre pegava um graveto do monte de lenha para riscar o chão. Os movimentos lentos, leseira. Antônio de chapéu nas mãos olhando desenhos no teto: cavalos com guelras, corujas maiores que os cavalos e com olhos azuis, distantes um do outro, entre eles espigas de milho. Geraldina e Geraldo continuaram aninhados dentro do chapéu.

— Vem ver, Antônio.

Nico chamou o irmão para ver o navio onde passariam os próximos dias.

— Ele tá um pouco atrasado, né, Eneido?

Eneido mexia as panelas, botou feijão para engrossar. Antônio, por ser anão, levou mais tempo para alcançar o horizonte. Pernas curtas, passos mais curtos. Do ponto em que Nico já teria avistado o barco, Antônio ainda via céu e a beira do precipício, foi entrando onde a luz conseguia chegar.

Um dia ao ano, o sol se botava global dentro da casa de Eneido, a caverna inteira se iluminava, os azuis das corujas viravam piscinas. Durava o tempo de debulhar uma espiga, pegando a segunda, já era minguante a luz na abóboda.

Antônio, no limite do chão, não olhou pra baixo com medo da altura. Fechou os olhos, apertou as mãos.

— Pode olhar.

Abriu e foi baixando o olhar, fechou a pálpebra na faixa onde veria o navio e voltou a abrir na água marinha. Assim como a família Malaquias, Geraldo e Geraldina também estavam em transição, temperança entre o ar de água doce e o ar de água salgada.

— Quantos palmos a gente tá do chão?
— Um tanto.

Nico não via as reações de Antônio, fisgado pela embarcação, que dava sinais de vinda. Maria comia curau com os meninos sentados nas palmas, gentileza de Eneido.

— Lá criança não vai, só pode ver de longe, senão morre.

Eneido tentava convencer Anésia e Onofre para que não passassem de certa linha. Com a lentidão em que estavam, lentos os raciocínios, ficou fácil amaciar as vontades.

— Morre só de olhar?
— Não, primeiro cai.

Antônio, com a boca do chapéu voltada para as pernas, sentiu ventilação nos joelhos, Geraldina e Geraldo sufocados pela brisa e o escuro. Abriu os braços curtos, mais curtos que de Anésia e Onofre. Respirou fundo, mirou o navio e arremessou o chapéu.

# 66.

Júlia estava com a mala da maternidade pronta. Ela tinha nascido em casa, sem médico, sugeriu que parisse no quarto, se ela veio, por que não viria o filho? Messias achou demais um filho dele nascer nos fundos de um comércio, dele, mas nos fundos. Ia à maternidade, com o médico do pré-natal, que marcou dia e hora. Véspera, a mala pronta, Messias e Ludéria no balcão. A contração veio pequena, depois maior como elefantes caminhando em ovo, a força era maior que a bolsa, estourou na cadeira da cozinha. Andou pelo corredor até a entrada do armazém. Messias percebeu e correu pegar a malinha no quarto.

Na maternidade o médico atendia outra mãe, o parto de Júlia adiantou, ele não contava. Ele queria cesariana, abrir e fechar na hora do expediente. Júlia pariu no quarto com a enfermeira. Messias esperou na antessala, não quis ver o corpo dela sofrendo. Júlia deitou-se na cama para relaxar, a enfermeira pediu que respirasse fundo, o médico já vinha. O filho homem veio em duas ou três dores mais fortes, abriu-se como nunca. O médico chegou, Júlia tomando soro na veia, Messias acarinhava sua mão.

— A senhora nasceu pra parir. — O médico se irritou com a autonomia dela.

— Quando ela volta pra casa?

— Amanhã bem cedo, só o tempo dos exames de rotina na criança.

A enfermeira trouxe na manta o menino, deitou-o no colo de Júlia, Messias chorou de alegria. Júlia cheirava o bebê, reconhecimento mamífero. O cheiro de carne quente e fresca, um embrulho pulsante.

— O nenê fica só mais um dia, farei exames mais detalhados.

— Algum problema?

— Ele é perfeito, pai, são precauções pro meninão não ter problemas futuros. Não se preocupe.

Os exames custavam dinheiro, Messias achou estranho mais um dia de hospital, Júlia já tinha alta, era só olhar para ela e ver a saúde saindo pelos cabelos. Os seios jorrando leite doce, a pele macia para aconchegar o filhote. Ludéria dormiu com Júlia na maternidade, Messias voltou ao comércio, sem ele o armazém parava. Dia seguinte Júlia podia sair da cama e, se quisesse, voltar mais tarde e pegar o menino. Resolveu ficar até o bebê ser liberado, também tinha que aliviar o seio. Exames prontos, Messias foi buscar a família.

Ludéria ficou ajeitando berço, esquentando água pro banho da criança, assou pão, ferveu sopa de carne, cuidaria do resguardo de Júlia. Fantasiava ela no altar batizando o afilhado, quem mais Júlia teria por comadre?

Messias e Júlia com o menino no colo sentados de frente para o médico. Ele tinha envelopes com chapas, exames de sangue e saliva.

— O menino é anão.

# 67.

Nico e família estavam há dias na caverna. Eneido sabia que eles esperariam pela embarcação, por isso arrumou provisões para os Malaquias.

— A água tem que subir pro bote chegar até aqui.

— Tivesse avisado eu vinha mais pra frente — irritou-se Maria.

— A água faz o que ela quer, eu não mando nela.

Não estavam desconfortáveis, nem Anésia e Onofre tentaram chegar perto da beira um dia sequer. Estavam anestesiados, outra gravidade debaixo do teto de corujas. O corpo e o pensamento na preparação de algum tombo, uma tontura antes do desmaio.

A cadela peluda, às vezes deitada junto de Onofre, era também vista ao longe na proa do navio. O navio mais perto, o mar levemente mais alto.

— Como ela fica lá e aqui ao mesmo tempo?

— Esse bicho confunde a cabeça, tenho pra mim que são dois.

— Cadela gêmea.

— Que nem as veias.

Como se chamadas, as velhas gêmeas entraram na caverna. Subiram por trilhas na mata, a cachoeira coberta pelo mar, só ficava em terra quem pudesse estar no alto. As duas com vestidos iguais, aventais iguais, lenços na cabeça, iguais.

— Mais torta e arroz-doce pros pequenos. Como cresceram!
— Conhece?
— A gente viu eles nascerem, da janela.
— Quase o Geraldo matou as duas com espingarda — lembrou Antônio.

As duas sentaram-se nas palmas secas, Antônio se enrodilhou em volta, quase ronronou na presença em dobro da provisão. Sabia delas pelo milharal, tinha nelas vontade de chegar perto.

— Moram onde?
— Na cachoeira.
— Agora não tem cachoeira, é tudo mar.
— Cachoeira não é só água, tem as terras da cachoeira, a gente dorme atrás da queda. De dia a gente anda de lá pra cá, de cá pra lá.

Riram a mesma risada, tinham as mesmas cordas vocais.

— Quando o mar foi pro lado de vocês a gente teve rio, pasto, criação.
— Era pra Timóteo já ter chegado — suspirou Eneido.
— Isso foi coisa dele pro Nico largar a fazenda, largar a vida e vir pra cá.

Nico calou-se, não tinha resposta para dar a Maria. Antônio deu ideia.

— A gente volta pra casa.

Eneido levantou-se do chão.

— Não dá mais, o mar tá subindo.

As velhas gêmeas se despediram e sumiram pela mata, Anésia e Onofre dormiam sono pesado. Maria, Nico e Antônio bocejaram.

— Deve ter coisa nessa comida pra gente ficar sem coragem. Você acredita em qualquer promessa, Nico.

# 68.

Geraldina e Geraldo, atirados por Antônio, caíram no mar. Boiaram por longas horas dentro do chapéu com as abas para cima, feito pernas em bordel recebendo luz na parte escura.

Não é porque uma vela queimou que a parafina não existe mais. Ainda que fossem a mesma coisa, Geraldo tinha sua individualidade, sua parafina. Geraldina, já habituada às mudanças de estado, não acompanhava as excitações do filho. Era desconfortável o movimento, a inquietação elétrica de Geraldo. A aproximação entre mãe e filho, fora de sua ocasião necessária, juntos só pela afinidade sanguínea, não garantiu união. Encontro perverso, foi um desvio de Geraldo dar com a mãe na nuca de Antônio.

A orbital de Geraldo escapava da orbital de Geraldina, de forma que duas nuvens se chocam e trazem as chuvas ao preço de destruí-las em prol de outra função. Geraldina, afrouxada pela autonomia readquirida, atravessou os filetes de espaço entre um fio de palha e outro do chapéu e mergulhou no mar. Geraldo se aqueceu na palha, ainda com cheiro da cabeça de Antônio. Ia boiar até uma terra que o ancorasse ou pescador que o vestisse.

# 69.

Messias não quis o filho, não era dele. Anão, não era dele. Não tinha anão na família. Júlia não sabia que seu irmão do meio, Antônio, era um, nem que um raio pudesse ter parte nisso. Disse que também não havia anão na dela, que culpa tinha?

Naquela semana chegou um rapaz grande, o filho mais velho de Messias que resolveu procurar o pai. Messias havia visto aquele homem quando ele era rosado e não tinha barba. Agora era forte para o trabalho, reconheceu seu próprio corpo maduro no vigor do moço, os mesmos traços do rosto, a mesma falha na sobrancelha. A rejeição ao filho novo trouxe pouca culpa, ela evaporava com a recepção de outro filho, assim achou que não havia dívida com a natureza, estavam quites. No mais, o rapaz era alto e já criado, o outro nem falava ainda.

— Pode trabalhar amanhã mesmo, tenho serviço e quarto — disse ao primogênito.

Messias não pegava o bebê, não dirigia olhar e palavra a Júlia. Ela estava de resguardo, não precisava trocar ideias de trabalho nem da confecção.

Júlia pegou o menino e saiu.

Rodoviária. Uma coragem para trás, de recuo. Não ficaria com a miséria de atenção, não teve paciência para esperar que um dia aceitasse o filho, que, sim, era de Messias. Não avisou Ludéria, que só deu falta no fim do dia.

— Não faça isso com os dois, a Júlia é uma criança.

— Criança não faz criança, Ludéria. Se quer ir atrás dela, vá, não quero mulher que se adultera debaixo do meu teto.

— Esse aí que chegou nem foi você que criou, como sabe que é teu?

— Sei quando é meu, esse é minha cara e tem minha altura.

— Júlia deve estar na igreja.

— Deve estar na rodoviária, achando que vou buscar.

Ludéria não encontrou Júlia na igreja, nem notícia vaga pela vizinhança, nem na casa de Leila, onde num surto poderia ter retornado e a ex-patroa tê-la aceito. Leila nem a recebeu, mandou dizer que não estava, o motorista fechou o portão. Ludéria procurou em suas coisas, Júlia levou o dinheiro que guardava numa caixa, sempre mostrava a Ludéria o volume crescente de notas.

Júlia sentou-se perto do relógio. A rodoviária estava reformada, novas cores nas paredes, cadeiras confortáveis, mais guichês, mais destinos.

## 70.

O navio estava tão próximo que o dourado da borda era bronze. O barqueiro era um homem robusto, vestido de marinheiro, porte militar. Seguiu pela trilha lateral, por onde passam as gêmeas velhas, único acesso entre o mar e a entrada da caverna. Andou pouco, o mar alto, embarcou um por um. As crianças na frente, Antônio junto delas. Maria e Nico atrás, o marinheiro em pé, sulcando o mar com remo, em direção à parede do navio, embarcação suntuosa. Subiram por uma escada estreita, o mar balançava o bote, não balançava o navio, estável, soberano das águas. Do barquinho o medo ficou maior, ao botarem os pés no firme degrau da escada, os metros acima eram encorajados pelos gritos dos marinheiros que os esperavam a bordo.

Foram recebidos com empolgação pelos tripulantes, içaram e guardaram o bote. Os Malaquias acenaram para Eneido e as velhas gêmeas, os três na beira da caverna retribuíram com sorriso.

— A viagem não é má, mas é longa.
— Venham, vou mostrar seus aposentos.
— As crianças podem dormir com vocês na mesma cabine.

— O mocinho divide o quarto com outros tripulantes.

Deixaram as matulas nas cabines. Maria, Nico, Anésia e Onofre ficaram alojados com janela para o mar. Antônio dividia seu quarto com dois marinheiros jovens, de pouco tempo no ofício.

— O que será que tem? — especulou Maria.

Ela deixou Anésia e Onofre com Antônio, no convés do navio, tomando o resto de sol. O casal ia andar pela embarcação, os Malaquias nunca estiveram em cidade tão grande, ainda assim, flutuante.

— Posso ajudar?

— A gente tá só vendo.

— É hora do chá, eu os levo até o grande salão.

Acompanharam aquele homem empertigado de uniforme vermelho e os dourados da borda. Pessoas sentadas em mesas, umas diferentes das outras, as roupas, os modos, em comum tinham a voz branda, ninguém falava alto, um respeito de hospital, quase cheiro de hospital, de chão limpo nos vãos.

Não conheciam ninguém. Constrangidos pelas roupas rotas que usavam, Maria ajeitou os cabelos atrás da orelha, Nico se aprumou na cadeira. Serviram chás vermelhos em xícaras, torradas, compotas e manteiga. Olhavam-se com entusiasmo e imponência. Quando ficaram a sós, Maria soltou os ombros.

— Isso vai custar caro.

— Eneido disse que não tem custo, pra eles é vantagem levar mais gente pro porto, pra cidade, dizem que é maior que a fazenda.

— Do porto vamos pra onde?

— A Júlia vai tá esperando.

— De que jeito? Se ela nem sabe se você tá vivo ou morto?

— Todo mundo que espera vai pro porto.

— E se Júlia não estiver lá? Quem espera é você, não ela.

— A gente espera.

— Essa hora Timóteo tá bem folgado na fazenda, que é tua de direito.

— A fazenda é da Júlia, ela que é dona.

— Te acompanho porque tenho dó.

Antônio vinha com Anésia e Onofre, os três se acomodaram na mesa.

— Ô, mas tá danado! As irmãs do colégio comiam isso o dia todo.

Antônio serviu os meninos e se regalou com torradas e a compota de amora. Ali Maria ligou os modos delicados do anão à continência dele, aos modos das freiras.

Uma senhora muito idosa vinha com bandeja, mãos fraquinhas, mas pulsos fortes. Touca e avental brancos, era Dolfina, ex-empregada de Leila.

## 71.

Timóteo dormia no bordel Moarão e passava o dia na cidade, agora sem luz. As velas deixavam âmbar as poucas faces, a cidade foi se esvaziando. Correu notícia de outra hidrelétrica em comarca próxima, as famílias iam se mudando atrás das lâmpadas. Primeiro um filho mais velho sondava outra cidade, de coragem feita voltava e levava o resto da mudança. O colégio se manteria na pequena cidade, Françoise fazia questão de manter o que as irmãs fundaram. Algumas crianças deixadas na escadaria surgiram na fuga de mulheres mais simples.

— Essas irmãs recebem dinheiro de fora, dão conta de criar.

Françoise recebeu telegrama confirmando a nova missão, restabelecer a ordem e a moral no que sobrasse da cidade. Mais, reconstruí-la, o que dava maior chance de domínio sobre terra mal possuída.

Os fazendeiros não abandonaram as propriedades, mas, acostumadas as esposas à luz e ao convívio urbano, foram atrás de outro município. O prefeito, de pouca personalidade, ofereceu ao padre a administração. A cidade nasceu da luz elétrica, não tinha o manejo das velas, apesar de seus moradores terem nos lustres um costume recente, o próprio prefeito não podia viver sem os watts.

A cidade virou presépio. Freiras, padres e cristãos abnegados. Nem todos tinham como se mudar, para muitos, tudo ficou melhor. Sem homens de muito poder, lugares a serem reocupados. O padre estabeleceu eleição para cargos administrativos, as missas eram reuniões de despacho burocrático. Mandou uma senhora coser uma bandeira com a frase "Flutua mas não afunda" em latim.

Timóteo ia ao coreto depois das missas, pessoas se reuniam à espera de suas pregações.

— Eu conheci o outro lado! O lado onde a luz nasce, creiam-me, irmãos!

Afirmava conhecer a passagem secreta das coisas, que quem passa por ela não volta. Ele, abençoado, pôde voltar num milagre. Que tinha poder de cura e podia provar.

O padre-prefeito não o condenava, contanto que o discurso fosse longe do altar. Timóteo vendia os frutos da terra de Geraldo para outras prefeituras. O bordel era frequentado por homens de perto e longe. Fazia negócios entre aguardente e leitoa frita. As moças tinham nele segurança, Moara queria nele o pai de um filho. Ele tentou, mas engravidou a mais nova da casa, Terezinha, que não segurou menino. Em terras de Geraldo não se fecunda quando bem quer.

— Você faz milagre e faz porcariada. Cura e faz besteira. Fora, Timóteo!

O vilarejo, o que restou da cidade iluminada, se dividiu. Para muitos não importava a cura, se feita por mão emporcalhada, não prestava. Para outros era a fé que permeava qualquer lama e escuridão, que quem escolhe o milagreiro é Deus, não o povo. Timóteo passou a cobrar, curava dores de cabeça com impostação de mão, limpava o corpo dos vermes, rezava o pai-nosso e pedia ao cidadão que corresse para casa, ia sair tudo.

A luz atraiu moradores rurais e não deu explicação de sua ausência repentina. A empresa desapareceu, não souberam notícia nem receberam notificado.

O padre dizia que os que ficaram eram os homens de verdade, aqueles que não se iludem com a luz da humanidade, mas buscam a verdadeira, só encontrada debaixo do teto do senhor. Timóteo dizia que o homem não precisava de teto nenhum, mas sim dele, o Timóteo, alguém que foi e voltou. A prova era uma tigela de curau que nunca apodrecia, trazida de lá, feita pelas irmãs gêmeas. O curau foi posto numa redoma de vidro que ele carregava consigo para os discursos no coreto.

— O que elas fazem?

— As velhas alimentam o peregrino cansado.

— Se o Eneido visitou os Malaquias, então ele também pode voltar.

— Eneido é o zelador, não pode sair da passagem, é o guardião.

— Se Eneido foi buscar os Malaquias, por que não veio buscar a gente?

— Os Malaquias foram os únicos que ficaram na Serra Morena, foram pro alto, viram a cidade lá de cima. Quem já está no alto faz contato mais fácil.

— Vá lamber sabão, Timóteo!

# 72.

Júlia foi ao banheiro, nem cheiro de Dinorá. Trocou as fraldas do menino, que chamou de Antônio por causa do irmão do meio, o que brincava com ela. Tomou um café, foi até o guichê. Ainda não tinha ônibus direto para a Serra Morena, sendo lá um lugar de passagem e sem rodoviária, a situação era a mesma de outros tempos. Teria que descer na estrada e seguir a pé com Antônio no braço.

Júlia amamentou o filho num canto sem tantos passageiros. Ajeitou a manta, a mala de bebê, ficou na porta do banheiro. Via as mulheres entrando, indo e vindo, umas mais apertadas, outras para fazer hora. Umas moças, outras senhoras, escolhia pelos olhos, pedia a hora e ouvia a voz, se dava confiança. Eis que vinha a senhora de roxo, agora de marrom. Não reconheceu Júlia, mais madura e segura. Ficou atenta ao bebê, foi se aproximando, Júlia beijou a testa de Antônio, benzeu-se e tomou fôlego.

— A senhora pode segurar pra eu ir ao banheiro?

A de marrom nem olhou para o rosto de Júlia, pegou Antônio com jeito de quem trabalhava em berçário.

— Pode ir sossegada.

Júlia entrou no banheiro, lavou as mãos sem olhar-se no espelho, secou-as nas laterais da saia. O queixo tremeu, nunca possuiu o que era dela, não ia ser agora. Saiu do banheiro, a mulher de marrom não estava mais, nem Antônio.

Foi ao guichê de braços soltos, uma bolsa nos ombros.

— Tem passagem para o mar?

— O mar é grande, minha senhora, que lugar do mar?

— Qualquer um.

— Tem pra Santos, onde tem o porto.

— Vê uma.

Ia voltar sozinha, como saiu, mesmo que o destino não fosse a Serra Morena. O ponto de origem não foi a paisagem, mas o estrondo na casa dos pais. Disseram que no mar caem mais raios, podia ser atingida por um e voltar para casa.

# 73.

O navio chegou ao porto, Nico e família desembarcaram. Antônio seguia de mãos dadas com Onofre e Anésia. Maria usava um leque, presente de uma senhora abonada e viciada em cassinos marítimos.

— Pegue pra você, só abanar que estanca qualquer choro.

Uma multidão estava no porto. Pessoas que se despediam, pessoas que se reencontravam. Júlia estava entre elas, olhava os tripulantes descerem, todos em ritmo de onda, andando com pausa.

Ficaram próximos, Júlia e os irmãos. Entre eles havia um passageiro girando o pescoço com facilidade, procurava parentes. O homem vestia casaco longo e chapéu. Um passageiro foi suficiente para impedir que Júlia e Nico se vissem. Quando um Malaquias dava um passo, o passageiro dava outro, quase ensaiados. Outros passageiros iam entrando no baile, empurrando malas.

Antônio parou para amarrar o cadarço de Anésia. Júlia viu o anão de costas, aos pés da menina. Sentiu alívio, pensando ter feito o melhor, seu filho não ia ser escravo de criança, não ia trabalhar em casa de família e morar aos fundos, não na frente dela. Os passageirosrarearam-se, um ou outro correu para alcançar alguém. Nico olhava para um lado, Júlia para outro. Os olhares fizeram duas retas paralelas, ele por cima, ela por baixo. Havia uma chance de intersecção, mas Nico deu um passo à frente e o ângulo do encontro foi desfeito. Júlia escapou de sua visão e ele dela, por um passo.

Em água turva, as substâncias não se veem.

1ª EDIÇÃO [2022] 3 reimpressões

ESTA OBRA FOI COMPOSTA PELA SPRESS EM ELECTRA E IMPRESSA EM
OFSETE PELA GEOGRÁFICA SOBRE PAPEL PÓLEN DA SUZANO S.A.
PARA A EDITORA SCHWARCZ EM OUTUBRO DE 2024

A marca FSC® é a garantia de que a madeira utilizada na fabricação do papel deste livro provém de florestas que foram gerenciadas de maneira ambientalmente correta, socialmente justa e economicamente viável, além de outras fontes de origem controlada.